MENTES E MANIAS

Ana Beatriz Barbosa Silva

com a colaboração de
Dra. Débora Barbosa Gil
e Dra. Lya Ximenez

MENTES E MANIAS

TOC: TRANSTORNO OBSESSIVO-COMPULSIVO

principium

Texto fixado conforme as regras do Novo Acordo Ortográfico da Língua Portuguesa
(Decreto Legislativo nº 54, de 1995)

Editora responsável: Camila Werner
Editor assistente: Lucas de Sena Lima
Assistente editorial: Milena Martins
Revisão de texto: Laila Guilherme e Tomoe Moroizumi
Projeto gráfico: Mateus Valadares
Diagramação e *capa*: Gisele Baptista de Oliveira
Imagem da capa: Catherine MacBride/Getty Images

2ª edição, 2017
4ª reimpressão, 2023

CIP-BRASIL. CATALOGAÇÃO NA PUBLICAÇÃO
SINDICATO NACIONAL DOS EDITORES DE LIVROS, RJ

S578m
2. ed.
Silva, Ana Beatriz Barbosa
Mentes e manias : TOC: transtorno obsessivo-compulsivo / Ana Beatriz Barbosa Silva com a colaboração de Dra. Débora Barbosa Gil e Dra. Lya Ximenez. – 2. ed. – São Paulo : Principium, 2017.
240 p. : il.

ISBN 978-85-250-6291-8

1. Transtorno obsessivo-compulsivo. 2. Transtorno obsessivo-compulsivo – Tratamento. I. Título.

CDD: 616.85227
17-38896 CDU: 616.891.7

Direitos de edição em língua portuguesa para o Brasil
adquiridos por Editora Globo S.A.
Rua Marquês de Pombal, 25 — 20230-240 — Rio de Janeiro — RJ
www.globolivros.com.br

Sumário

Para Débora Barbosa Gil:

Nossa avó Zilpa dizia que as pessoas boas nascem prontas.
Você nasceu assim. É muito bom ser sua madrinha.

Introdução

Todo mundo conhece ou já ouviu falar de alguém que tem uma mania. Bate três vezes na madeira, só levanta com o pé direito, sempre coloca o mesmo sapato em dias de prova... Quase todo mundo tem atitudes como essas, em maior ou menor grau. No entanto, existem pessoas que levam suas manias às últimas consequências e, por conta disso, acabam tendo uma vida limitada, impeditiva e com prejuízos ao trabalho, à vida acadêmica e afetiva e aos relacionamentos sociais. Elas acreditam que tais atitudes são indispensáveis para que nada de errado ou catastrófico aconteça em sua vida ou com seus familiares.

Quem observa de fora provavelmente pensa: "Essa pessoa é cheia de manias", "esquisita", "excêntrica"... Mas, infelizmente, a realidade é bem mais complexa. Por trás dessa aparente esquisitice existe alguém que está em intenso sofrimento, naufragando em um mar revolto à espera de resgate.

Neste livro serão abordadas essas manias tão prejudiciais que passam longe de ser simples excentricidades. Trata-se de uma disfunção mental: o transtorno obsessivo-compulsivo (TOC). É esse o termo que define as manias quando chegam a um nível grave e incontrolável.

A primeira edição de *Mentes e manias*, de 2004, aconteceu alguns meses depois do lançamento do meu primeiro livro, *Mentes inquietas*, em que descrevo o transtorno do déficit de atenção/hiperatividade (TDAH). Por causa do primeiro livro, recebi (e recebo até hoje) uma quantidade imensa de e-mails com depoimentos, agradecimentos e solicitações de ajuda. Esse foi o estímulo necessário para mais uma vez me aventurar a escrever com o objetivo de informar de maneira relativamente acessível a respeito de comportamentos causados por um funcionamento mental específico.

Embora os seres humanos busquem ser felizes, na maioria das vezes faltam-lhes a bússola, o mapa e o navio que os levem até essa ilha chamada Felicidade. Tomada por essas ideias, comecei a refletir sobre o sofrimento daqueles que apresentam o transtorno obsessivo-compulsivo (TOC), vivenciado por muitos de forma solitária e oculta das pessoas de sua convivência. Ao contrário de quem sofre de outros transtornos de comportamento, quem vive com TOC costuma achar as próprias ideias e ações idiotas, bobas, ridículas, absurdas, mas mesmo assim não consegue controlá-las.

Por apresentar uma visão bastante crítica sobre seu comportamento, a maioria desses indivíduos sente muita vergonha e por isso esconde seu problema das demais pessoas — inclusive dos familiares próximos. Isso impossibilita que parentes e amigos possam participar da busca por ajuda adequada.

A pessoa com TOC em geral tem a falsa e desesperadora impressão de que ela é "a única criatura na face da Terra com esse problema". Tolo e doloroso engano: nos dias atuais estima-se que 2,5% da população mundial sofra de TOC. Infelizmente, muito poucos sabem que esse transtorno tem tratamento com resultados bastante satisfatórios.

Ao começar a escrever este livro, impus-me como objetivo principal tirar o TOC das sombras e colocá-lo como assunto de conversa. E, dessa forma, possibilitar aos indivíduos com TOC um melhor entendimento de seu problema e a busca pelo tratamento correto, o que pode abreviar e reduzir seu sofrimento e suas limitações. Além disso, é preciso fornecer subsídios aos familiares, para que possam entender a real condição dos parentes que sofrem de TOC, a fim de ajudá-los.

Este livro é baseado em minhas convicções teóricas amplamente confirmadas em minha prática clínica. No que tange aos critérios diagnósticos, confesso que me mantenho alinhada aos descritos no *Manual Diagnóstico e Estatístico de Transtornos Mentais*,[1] pois considero o TOC um transtorno de ansiedade grave que requer diagnóstico precoce e tratamento assertivo para minimizar os estragos que tal disfuncionalidade pode trazer a seus portadores. No entanto, o livro não se baseia em nenhuma classificação específica e tem como objetivo maior orientar e auxiliar as pessoas com as mais diversas facetas e intensidades do vasto "espectro TOC". Além de colaborar no próprio tratamento para seguir sua vida de maneira minimamente satisfatória e produtiva.

Nesta nova edição de *Mentes e manias*, mudanças pontuais foram feitas ao longo do livro, e as alterações mais significativas concentram-se no capítulo sobre tratamentos. Nele foram acrescidas medicações de última geração, técnicas terapêuticas que

1. Classificação norte-americana de transtornos mentais. Em inglês: *Diagnostic and Statistical Manual of Mental Disorders*. Também conhecida como DSM-IV-TR.

auxiliam na melhora dos sintomas do TOC para pacientes que não respondem positivamente ao uso de medicamentos — como a Estimulação Magnética Transcraniana (EMT) —, bem como a possibilidade de intervenção cirúrgica em casos mais graves.

Embora ainda pouco compreendido, desde a primeira edição desta obra percebo que o tema tem sido mais discutido por meio de filmes, seriados de TV, reportagens, animações, depoimentos de pessoas famosas no circuito nacional e internacional, e até mesmo como tema de peças teatrais.

Reconheço que muitas dessas abordagens acontecem em tom de brincadeira, despertando risos na plateia. Não que o TOC seja engraçado, de maneira alguma. No entanto, é por meio dessa leveza ao retratar o sofrimento humano que muitas vezes despertamos do torpor da ignorância e somos impulsionados a ajudar efetivamente alguém que sofre.

Neste livro também serão abordados comportamentos que se assemelham ao TOC e também são motivo de intenso sofrimento para quem tem o problema. Sem esquecer, é claro, as pequenas manias nossas de cada dia, como hábitos, superstições e rituais que fazem parte de nossa cultura e não necessitam de tratamento.

A diferença entre as pessoas, pelo menos em relação ao sofrimento mental, é quantitativa, e não qualitativa. Entre mim, você e a pessoa com TOC existe apenas uma diferença: quem sofre do transtorno pensa com maior frequência em coisas desagradáveis e toma atitudes incontroláveis e repetitivas para aliviar os medos de que tais pensamentos se concretizem.

Indivíduos com TOC, na verdade, não querem ser assim. Eles gostariam de ser organizados, meticulosos e ter raciocínio analítico. Porém, o desequilíbrio no pensar e no agir é tão grande que eles acabam se tornando, muitas vezes, desorganizados, improdutivos e "descuidados". No entanto, entre o que se é e o que se deseja ser existe um longo caminho a percorrer. Dessa forma, criei a sigla COT (Cognição, Organização, Transformação), numa clara referência ao que a pessoa com TOC gostaria de ser caso conseguisse se desvencilhar do círculo destrutivo e vicioso de pensamentos e atitudes repetitivos. A esse respeito vou discorrer detalhadamente no capítulo 10, uma vez que a mudança de TOC para COT é a meta principal para o tratamento bem-sucedido.

Tenho percebido inclusive que um parceiro com COT é o melhor que pode desejar a pessoa com TDAH, quando se trata de trabalhos e projetos. Diferentes e, no entanto, complementares, eles precisam das características um do outro para se desenvolver plenamente. Essa talvez seja uma autêntica dupla dinâmica, ainda que entre tapas e beijos.

Antes de mergulharmos no mundo dessas pessoas, que até hoje intrigam médicos e psicólogos de todo o mundo, é importante entender que todos nós temos deficiências ou falhas mentais. É claro que uns as apresentam de maneira mais evidente, outros, menos. Entretanto, tudo indica que o barro divino de onde viemos já veio malhado antes de nascermos.

E agora? Quem terá coragem de atirar a primeira pedra? Quem for perfeito pode começar!

O transtorno obsessivo-compulsivo constitui, com certeza, um dos quadros mais intrigantes e desafiadores da psiquiatria e da psicologia atuais.

1
A NORMALIDADE DA IMPERFEIÇÃO HUMANA

Quando penso na palavra "gente", uma sensação boa e terna me invade a mente: eu gosto de gente. Esse gosto me faz fuçar cada vez mais nosso motor central — o cérebro — em busca de respostas que me levem a detectar, compreender, criar empatia e, sempre que possível, ajudar as pessoas (nossa gente) a ter uma existência mais confortável consigo mesmas e, em consequência, com o mundo ao redor.

Como boa amante da música popular brasileira, "gente" me lembra Caetano Veloso. Foi Caetano quem nos levou a refletir sobre o conceito de normalidade quando, em "Vaca profana", disse que "de perto, ninguém é normal".

Interessante como o conhecimento humano se manifesta em todas as áreas de expressão, pois no início do século passado Freud — pai da psicanálise — afirmou a mesma ideia com as seguintes palavras: "Toda pessoa só é normal na média".

Embora pareça uma grande loucura, Freud, Caetano e todas as pessoas do planeta têm algo em comum: nenhum de nós possui um cérebro perfeito. Entendo como perfeito o cérebro que produz neurotransmissores — nossos combustíveis cerebrais — em quantidades exatas ou iguais e faz com que cada parte exerça suas funções tão bem quanto as demais, obtendo assim um desempenho máximo em todas elas. Se olharmos bem ao redor, constataremos facilmente essa realidade. Quem não conhece alguém genial na criação de complexos programas de computador ou mesmo de projetos inovadores de engenharia que, por outro lado, apresenta profunda dificuldade em seus relacionamentos sociais, principalmente afetivos e emocionais?

Podemos perceber que um cérebro perfeito é uma impossibilidade humana. Todos eles têm seus pontos fortes — talentos, dons ou aptidões — e seus pontos limitantes — inabilidades, inaptidões ou "fraquezas". Com o tempo e com empenho, aprendemos a administrar a ambos em nosso próprio benefício. Outro aspecto — bem mais científico e por isso menos evidente que os exemplos anteriores — que reitera a imperfeição do cérebro humano é a sua idade. Isso mesmo. Para quem não sabe, nosso querido e poderoso cérebro não passa de um bebê na longa história da evolução das espécies. Ele completou 100 mil anos há pouco tempo.

Velho, velhíssimo, ancestral, pré-histórico... Provavelmente seriam esses os adjetivos usados por um jovem para definir nosso "bebê". Mas se assistirmos ao filme *Jurassic Park: O Parque dos Dinossauros*, de Steven Spielberg, veremos que Hollywood, além de lazer, é cultura e informação. Lá se conta um pouco da história dessa geração de répteis fantásticos que habitaram e dominaram nosso planeta por 160 milhões de anos.

E agora, quem é velho? Nosso cérebro ainda é um bebê lindo e fofo que começa a dar seus primeiros passos na história evolucionária. Por isso, temos de considerá-lo uma obra em andamento que, com certeza, será capaz de desenvolver novas funções adaptativas de caráter positivo, tornando-nos mais eficientes em transcender dificuldades, limites ou mesmo impossibilidades atuais.

Um dos sistemas que nosso cérebro elaborou para tornar a vida de nossos ancestrais mais fácil foi um circuito que lhes tornou possível detectar erros, especialmente os relacionados à sobrevivência e ao convívio social. No estudo da biologia evolutiva, observamos que nossa espécie criou um sistema que faz com que o indivíduo, ao cometer um erro, seja tomado por uma sensação de grande desconforto. Dessa forma, o ser humano aprende comportamentos e esquemas cognitivos que lhe possibilitam prever possíveis erros. Isso, aliás, é muito importante do ponto de vista da convivência social. Quem já não cometeu uma gafe e sentiu um terrível desconforto? Sejamos honestos, todos já fomos vítimas de nosso circuito detector de erros.

Pois bem, a chave para entender a pessoa com transtorno obsessivo-compulsivo (TOC) é saber que seu circuito detector de erros funciona muito mais do que deveria ou do que é necessário. Ou seja, ele funciona de maneira excessiva e tende a não cessar sua atividade quando o erro é detectado e corrigido, deixando a pessoa com a constante sensação de que algo está errado. Dessa maneira, esse indivíduo se sente compelido a corrigir incessantemente seus erros (reais ou imaginários).

Como metáfora, podemos usar o mecanismo da sede: a falta de água nos dá a sensação de sede, e somos levados, pela necessidade e pelo desejo, a consumir água. Uma vez restabelecido o equilíbrio hídrico, a sede desaparece. É o que chamamos de retroalimentação negativa, pois a necessidade que motivou o comportamento cessa ao ser atendida, pelo menos temporariamente. Agora imaginemos que a pessoa sedenta, sem alternativa, beba água do mar. Esta, por sua vez, não sacia a sede, pois o sal marinho, ao ser ingerido junto com a água, faz com que o organismo da pessoa perca mais água. Esse mecanismo não apenas não acaba com a sensação de sede, como faz com que ela aumente e a pessoa passe a consumir ainda mais água. É o que chamamos de *retroalimentação positiva*, pois, quanto mais o comportamento se realiza, mais será reforçado a ser repetido. Embora seja uma comparação simples, podemos dizer que o mecanismo é similar no indivíduo com TOC.

Todo mundo tende a pensar e temer coisas desagradáveis. Todos nós também temos a tendência de tentar corrigir os erros e evitá-los. Sem isso, seríamos incapazes de cuidar minimamente de nosso bem-estar. Portanto, é importante termos essa característica funcionando de maneira adequada, na intensidade e na frequência corretas. Quando esse circuito degringola, passando a funcionar de maneira muito intensa e repetida, abre-se caminho para o desenvolvimento do TOC. Os erros cometidos — em especial os que se traduzem na forma de gafes sociais — se tornam motivo de ruminação mental, gerando as ideias obsessivas desencadeadoras de grande ansiedade e produtoras de atitudes compulsivas (comportamentos repetitivos). Estas últimas oferecem alívio momentâneo, mas resultam no aprisionamento da pessoa num círculo vicioso que tende a se cristalizar com o tempo.

O transtorno obsessivo-compulsivo constitui, com certeza, um dos quadros mais intrigantes e desafiadores da psiquiatria e da psicologia atuais. Ele se caracteriza pela presença de obsessões e/ou compulsões. As obsessões são pensamentos ou ideias recorrentes de caráter intrusivo e desagradável que causam muita ansiedade e consomem uma parcela significativa do tempo dos indivíduos que sofrem desse transtorno. As compulsões, conhecidas popularmente como *manias*, são comportamentos, ações ou atitudes de aspecto repetitivo que a pessoa com TOC adota com o intuito de reduzir a ansiedade provocada pelos pensamentos obsessivos.

Assim, podemos afirmar que as obsessões (pensamentos repetitivos) provocam intenso desconforto emocional na forma de ansiedade; já as compulsões tendem, pelo menos no início, a despertar a sensação de alívio. Como vemos, as obsessões são pensamentos da própria pessoa. Elas desencadeiam comportamentos (compulsões) que, muitas vezes, não fazem sentido algum. Aí está o aspecto tão instigante do TOC. Como entender que pessoas inteligentes, cultas e frequentemente profissionais responsáveis e de destaque em suas áreas de atuação acabem se tornando escravas das próprias ideias e ações? Como entender que essas pessoas se envergonhem e julguem seus pensamentos e suas atitudes como absurdos e ridículos?

Somente entrando nesse universo para tentar responder a essas e muitas outras perguntas que indivíduos com TOC, ou as pessoas que convivem com eles, se fazem todos os dias.

Quando tentamos manter estrito
domínio sobre nossos pensamentos,
estamos nos expondo ao risco de
vê-los transformados em obsessões.

2
QUEM PENSA DEMAIS VIRA FILÓSOFO OU SOFRE: A QUESTÃO DAS OBSESSÕES

Muitos de nós sentimos um leve incômodo quando deparamos com um sapato virado de cabeça para baixo. É muito comum pensarmos que isso significa que algo ruim pode acontecer com alguém da nossa família. Embora achemos ridículo e deixemos o sapato virado do mesmo jeito, o próximo pensamento que pode nos assaltar é o de culpa, uma vez que não demos a devida importância àquela pessoa. Afinal, estamos valorizando mais o raciocínio lógico do que o significado de um simples calçado de sola para o ar. Por fim, com um resignado "tá bom, não custa nada", acabamos desvirando o sapato e explicamos para nós mesmos, a título de consolo, que isso não passa de "desencargo de consciência".

Na hora de dormir, podemos passar de novo por uma situação parecida se percebermos que a porta do armário está aberta. Não queremos sair de debaixo da coberta, mas de vez em quando espichamos o olho e damos de cara com a porta escancarada e tudo escuro lá dentro do armário. O que nos leva a ficar espionando a inocente fresta é a lembrança de que "porta de armário aberta chama...". Mas você não quer pensar na palavra e nem espera para concluir a frase. Sai do aconchego, levanta-se, fecha a porcaria da porta e convence a si mesmo de que o que o levou a fazer isso foi a possibilidade de que entrassem baratas em seu armário.

O fato é que sempre estamos imersos em numerosos pensamentos. Pensamentos bons, ruins, bobos, grandiosos, de todos os tipos. Muitas vezes nem estamos conscientes disso, mas o fato é que eles rondam a nossa mente o tempo todo. E também é comum termos aqueles que nos incomodam por não condizerem com nosso modo de ser, de pensar e de agir. Dessa forma, acreditamos que não deveríamos tê-los ou que é errado pensar assim, como se isso fosse alguma falha de caráter ou uma prova de que existe um "lado negro" escondido dentro de nós. Por exemplo, imaginar-se enchendo de algodão a boca de seu irmãozinho recém-nascido que não para de berrar é um pensamento que pode vir à sua cabeça, principalmente se você for um adolescente impaciente que precisa acordar cedo no dia seguinte e ainda por cima não perdoa os pais por tê-lo substituído na posição de caçula.

É normal que ideias meio agressivas ou catastróficas invadam a nossa mente de vez em quando, o que pode representar nossos medos mais escondidos ou, no caso acima, secretos desejos de vingança. O problema está em imaginar que jamais deveríamos ter tais pensamentos, que isso é algo proibido ou até que eles podem trazer consequências funestas, tornando-se realidade. Se pensarmos assim, o tiro sairá pela culatra: quanto mais evitamos esses pensamentos ou nos preocupamos com eles, mais presentes e insistentes eles se tornam em nossa mente. Não querer pensar em algo já nos faz pensar naquilo. E, por dar tal importância a esses pensamentos, aumentamos muito o risco de tê-los repetidamente. Se existisse um ditado para isso, poderia ser assim: "Quem seus pensamentos espanta, mais os acalanta".

Para testar esse ditado, você pode fazer o seguinte: feche os olhos e, durante trinta segundos, esforce-se para pensar em um camelo no deserto (você pode acrescentar palmeiras, cactos, pirâmides, mas o importante é o camelo). Obrigue-se a pensar só no camelo. Pode ser que durante esses trinta segundos outros pensamentos tenham invadido sua mente, isso é natural. Mas não deve ter sido tão difícil.

Agora faça de forma diferente: feche os olhos e, durante trinta segundos, pense em qualquer coisa, menos no camelo. É proibido pensar no camelo. Desta vez você sentirá que foi mais difícil. Só pelo fato de tentarmos afastar o pensamento do animal, acabamos, sem querer, tornando-o mais intrusivo e persistente.

Foi o que aconteceu com Amaro, 49 anos, administrador de empresas, quando tentava evitar pensar no... Bem, ele vai partilhar conosco sua experiência:

> Quando eu era adolescente, ficava supernervoso quando começava a tocar "Sympathy for the Devil" — algo como simpatia pelo demônio —, música dos Rolling Stones. Na época, eu estava completando o catecismo e achava terrível ouvir uma música daquelas. Mas não ficou só nisso. Depois passei a ter medo de simplesmente pensar na música, e cheguei a um ponto em que qualquer outra coisa me remetia a "ele" — como ver uma luz vermelha ou algum bicho com chifres. Se eu visse um carro freando e as luzes vermelhas se acendessem, ou se na TV passasse algum desenho ou reportagem com animais, era um verdadeiro martírio.
>
> E esses são só alguns exemplos, porque eu associava muitas outras coisas mais àquela imagem — como o número cinco, por causa do tal pentagrama. A estrela de cinco pontas é um símbolo místico: com a ponta virada para cima, representa o bem; com a ponta virada para baixo, simboliza o mal... Adivinha em qual eu pensava? Olha que viagem! E cada vez que me vinha à cabeça, e isso acontecia toda hora, eu tinha de repetir mentalmente os nomes de alguns anjos: Gabriel, Miguel, Rafael... Eu achava que aconteceria alguma coisa ruim e, quanto mais eu evitava pensar,

mais eu pensava. Mas ruim mesmo era passar por aquilo tudo. Agora estou tranquilo em relação a isso, e quer saber de uma coisa? Encho a boca quando vou mandar alguém "para o diabo que o carregue".

Ideias indesejáveis invadem nossa mente

O ser humano tem, em maior ou menor medida, a necessidade de manter as coisas sob controle, ainda que minimamente. Muitas coisas, porém, estão fora de nosso controle — e o conteúdo do que pensamos é uma delas. Engajar-se numa luta inglória com derrota garantida é caminhar a passos largos para o desconforto e até para o adoecimento. Quando tentamos manter estrito domínio sobre nossos pensamentos, estamos nos expondo ao risco de vê-los transformados em obsessões.

Para que os pensamentos sejam considerados obsessivos, eles devem ser desagradáveis, intrusivos, indesejáveis e repetitivos. Quem os tem não os quer e, embora saiba que jamais concordaria com o conteúdo desses pensamentos obsessivos ou faria o que eles sugerem, ainda sente uma pesada culpa por tê-los. Como exemplo, poderíamos pensar no já mencionado adolescente com ciúme do irmãozinho e que, além disso, é alvo de chacota no colégio por parte de um colega que adora pegar no seu pé. Pode passar pela cabeça dele que seria melhor que esse colega estivesse morto ou que seria glorioso jogá-lo escada abaixo. Pensamento tétrico, não? O adolescente talvez sinta um pouco de alívio de suas frustrações fantasiando sua vingança espetacular e depois se desligando daquilo e voltando à sua rotina sem maiores problemas. Mas ele também pode começar a remoer a preocupação de que, se está pensando dessa forma, é porque talvez seja mesmo capaz de cometer tamanha crueldade. A partir daí, pode tentar fazer um esforço enorme para impedir tais pensamentos e, pior, desenvolver comportamentos tais como evitar subir ou descer a escada com seu desafeto.

Há uma distância muito grande entre pensar, fantasiar e realmente fazer. Se ele de fato fosse um adolescente de má índole, certamente já estaria planejando e colocando em prática sua vingança. Ao contrário disso, ele se preocupa, se sente envergonhado e culpado por suas ideias perversas, evitando até se aproximar do colega por medo de fazer-lhe algum mal.

No entanto, pelo sofrimento e pelo desconforto que trazem — causando até alterações no comportamento do adolescente —, pode-se dizer que esses pensamentos já adquiriram um caráter obsessivo. O jovem sente angústia e culpa ao tê-los, pois são desagradáveis e vão contra o que considera correto. São repetitivos, intrusivos e causam muita ansiedade. Quanto mais ele luta para não tê-los, mais os tem, e acaba se sentindo na obrigação de mudar seu comportamento para aliviar o grande incômodo que sente.

Isso precisa ficar bem claro: é a partir desse ponto que é possível afirmar que tal pensamento deixou de ser uma simples ideia "maluca" e pouco usual, mas que todo mundo tem, para se transformar num pensamento obsessivo, gerador de grande apreensão e desconforto.

Um dos pensamentos obsessivos que provocam mais sofrimento é aquele cujo conteúdo envolve ferir alguém a quem amamos. A arquiteta Analice, 36 anos, nos relata seu problema:

> Desde nova eu já era um pouquinho sistemática... Gostava das coisas bem guardadinhas e alinhadas. Depois que tive o Pedro, minha mania de só fechar as gavetas de talheres quando eles estivessem arrumadinhos piorou bastante. Mas meu martírio começou mesmo quando passei a pensar que, se fechasse a gaveta e

alguma faca se deslocasse lá dentro, seria capaz de pegá-la e ferir meu filho. O mais desesperador é que sempre fui uma mãe paciente, superapaixonada por meu filho, que foi um bebê bem tranquilo. Quando eu fechava a gaveta das facas, não conseguia ter certeza de que nenhuma delas tinha saído do lugar. Então, abria e fechava a gaveta muitas vezes, porque, quando não fazia isso, me imaginava com a faca na mão, machucando meu filho. Era horrível, horrível!

Hoje em dia ele é adolescente e vive fazendo chacotas desde que soube dessa história. De vez em quando ele me chama de Mamãe Jason, por causa do filme *Sexta-feira 13*. Bom, mas agora que já estou livre disso, me junto a ele e dou boas gargalhadas.

Os pensamentos obsessivos estão intimamente relacionados ao medo. O medo é um sentimento natural e saudável, cuja função é nos resguardar de maiores problemas. É bom que tenhamos medo de atravessar a rua com o sinal aberto para os carros, por razões óbvias. É esse medo que nos impede de arriscar nossa vida em um trânsito caótico, repleto de motoristas alucinados. No entanto, ter receio de sair de casa e andar na calçada por causa da remota probabilidade de ser atropelado no portão do próprio prédio significa entregar-se a um medo irracional e infundado, que limita nossos movimentos e cerceia nossa liberdade de ação. Nesse caso, o medo deixa de ser útil e passa a ser irreal e nocivo. Não serve mais à função de proteção e ainda nos faz o desfavor de entravar nossa vida.

A pessoa que tem pensamentos obsessivos sofre deste último tipo de medo. Portanto, não podemos confundir as obsessões com os medos comuns. Os medos da pessoa obsessiva podem ser semelhantes aos medos naturais e plausíveis, como o medo de bater o carro, por exemplo. Contudo, eles ganham dimensões muito mais amplas. Para essa pessoa, imaginar que isso possa realmente acontecer é tão sofrível que ela evita não só dirigir, como também entrar em qualquer veículo. Além disso, a pessoa obsessiva pode ter pensamentos e medos considerados bizarros, como o de ter engolido uma agulha quando estava simplesmente pregando um botão. Ela sabe que não engoliu, pois isso é totalmente improvável, mas ainda assim fica atormentada com tal ideia e passa a ter um medo irracional de lidar com quaisquer instrumentos de costura.

Superstições *versus* obsessões

É importante diferenciar as obsessões das superstições. No início deste capítulo, descrevi dois casos típicos de superstições em nossa cultura apenas com o intuito de demonstrar como é comum que nos preocupemos com o significado que damos às coisas, com o que pensamos delas e quanto isso pode influenciar nosso comportamento. Contudo, as superstições não são indicativo de nenhum problema, pois são respaldadas e até reforçadas por nosso ambiente cultural. Algumas das mais corriqueiras, símbolos de verdadeiro azar para a pessoa, envolvem cruzar com um gato preto, passar debaixo de uma escada, quebrar espelhos, entrar com o pé esquerdo em algum lugar, ter os pés varridos, entre outras. São manifestações de comportamentos ritualísticos comuns a toda a humanidade, que variam de cultura para cultura. Mas o principal é que elas não tomam o tempo da pessoa nem a paralisam, não se tornam algo imprescindível, sem o qual a pessoa se sentiria intensamente angustiada e ameaçada.

Por outro lado, se a pessoa passa a checar a toda hora seus sapatos — que, além de estarem na posição correta, precisam ficar perfeitamente alinhados — e mesmo após checá-los continua ansiosa e agoniada, voltando a conferir outras vezes, sob pena de que algo ruim possa acontecer, deve-se desconfiar que seja um pensamento obsessivo. Se a pessoa chega a perder tempo com esses rituais — a ponto de atrasar-se para o trabalho e sentir-se angustiada, quase em pânico, caso não consiga se certificar da posição dos sapatos —, pode-se afirmar que já não se trata de uma simples superstição.

Para reforçar a diferença, lembremos o caso da pessoa que não conseguia dormir em paz enquanto a porta do armário estivesse aberta. O pensamento que ela teve não era obsessivo, na verdade era uma ideia supersticiosa, que causou um leve incômodo. Ela levanta, sentindo-se meio boba, fecha a porta, logo esquece aquilo e volta ao sono dos justos. Agora imaginemos que, ao fechar os olhos, ela comece a ser assaltada pela ideia de que a porta não foi bem fechada. Levanta e resolve trancá-la. Volta para a cama e... começa a questionar se realmente passou bem a chave. Levanta, destranca e tranca de novo a porta, para se certificar. Pode ser que ela esteja passando por uma fase estressante, com problemas no trabalho, e isso se reflita em comportamentos inusitados como esse, que com certeza ela não voltará a ter. Porém, se esses pensamentos forem mais frequentes e ela se sentir assustada, temendo que alguém de sua família possa morrer, e a partir daí verificar constantemente a porta do armário não só à noite como também durante o dia, já se pode cogitar um caso de pensamentos obsessivos.

Obsessões mais frequentes

É fundamental entender que existe uma grande variedade na forma como se apresenta o TOC. Na prática clínica diária, é possível observar que as obsessões tendem a se manifestar em grupos bem característicos. Para facilitar a compreensão desse transtorno, auxiliar em sua identificação e possibilitar que inúmeras pessoas recebam ajuda no alívio do seu intenso sofrimento, elaborei tópicos com as principais e mais comuns obsessões, com exemplos fáceis de visualizar. Algumas envolvem medo de contaminação, dúvidas persistentes, blasfêmias religiosas, desejos agressivos, entre outros. Vamos a elas:

1. Obsessão de agressão

Preocupação em ferir os outros ou a si mesmo, insultar, impulsos de agredir (como vimos no exemplo do adolescente irritado com o irmão e com o colega de escola), machucar o próprio filho (como era o caso de Analice) etc.

2. Obsessão de contaminação

Preocupação constante com sujeira, germes, contaminação por vírus e bactérias, pó, apertos de mão, medo de ser contaminado em visitas hospitalares, velórios, cemitérios etc.

A pessoa se preocupa com a possibilidade de infectar-se e adquirir doenças como aids, gripe A (H1N1), leptospirose, zika vírus, entre outras. É claro que existe a possibilidade de contrair tais doenças, e é isso que nos motiva a tomar determinadas precauções. Por outro lado, essa preocupação deixa de ser normal quando evitamos apertar as mãos das pessoas por medo de contrair o vírus da aids, ou se corremos loucamente de qualquer cachorro, só de imaginar que ele possa ter brigado com um gato, que tenha atacado um rato, que é um transmissor da leptospirose. Como um indivíduo com pensamentos obsessivos exagera todas as possibilidades catastróficas, ele é capaz até mesmo de ficar recluso em casa, uma vez que, seguindo esse raciocínio tortuoso, todas as pessoas podem oferecer perigo. Qualquer um pode transmitir aids e outras doenças (só por estar no mesmo recinto), e qualquer cachorro é um transmissor em potencial de doenças infecciosas, representando um risco mesmo que esteja do outro lado da rua.

3. Obsessão de conteúdo sexual

Pensamentos persistentes de fazer sexo com pessoas impróprias ou em situações estranhas, pensamentos obscenos, imagens pornográficas recorrentes, impulsos incestuosos. Há casos em que o indivíduo evita sair de casa porque teme ficar olhando para a região genital das pessoas por quem passa na rua ou fazer propostas indecorosas em voz alta a qualquer pessoa atraente que cruze seu caminho.

4. Obsessão de armazenagem e poupança

Ideia fixa de colecionar ou acumular vários tipos de objetos. A pessoa não consegue se desfazer de nada por achar que tudo poderá ser útil no futuro, até mesmo embalagens, papéis velhos, jornais, revistas, tampinhas de refrigerante etc.

5. Obsessão de caráter religioso

Pensamentos recorrentes de escrupulosidade, blasfêmia, pecado, certo e errado, impulso de falar obscenidades na igreja. Exemplos: 1) a criança que, após ter iniciado seu aprendizado em inglês, passa a ter pensamentos obsessivos de que *God* (Deus) também é *Dog* (cão), ao inverter a ordem das letras; 2) a mulher que não consegue parar de pensar que a imagem de são Sebastião, seminu e preso a uma tora de madeira, é bastante sensual.

Luciana, uma professora de 26 anos, conta os insistentes pensamentos que tinha quando se reunia com o grupo jovem de sua igreja:

> Quando eu passava em frente ao altar onde havia uma imagem de Jesus crucificado, com apenas um pano enrolado em seu corpo, ficava me questionando se ele era como a gente, se ele tinha pênis, se fazia xixi... Aí, para meu desespero, me vinham todas aquelas imagens daquilo que os homens fazem quando vão ao banheiro. Ou imaginava com o que ele se limpava, se ficava com resto de comida entre os dentes, se ele comia fazendo barulho. Esses pensamentos me perseguiam, e eu ficava esperando pelo castigo divino. A culpa era ainda maior porque eu não conseguia confessar isso ao padre, apesar de me sentir na obrigação de falar tudo para ele. Lembro que repetia pra mim mesma: "Perdão, meu Deus. Perdão, meu Deus. Perdão, meu Deus. Perdão, meu Deus...", uma infinidade de vezes.
>
> Agora que estou melhorando, só penso de vez em quando: "Obrigada, meu Deus. Obrigada, meu Deus". Mas meu terapeuta me dá altas broncas, diz que basta uma vez. Sei que ele está certo, mas esses pensamentos são mais teimosos do que mula empacada.

6. Obsessão de simetria

Ideias constantes de exatidão ou alinhamento de objetos, roupas, decoração etc. A pessoa tem uma sensação vaga de que é "errado" ou "incômodo" ver coisas desarrumadas e desalinhadas.

7. Obsessão somática

Preocupação excessiva com doenças. É o caso das pessoas que sentem alguma dor no peito e já começam a pensar fixamente em alguma cardiopatia grave, ou daquelas que sentem uma dor abdominal e têm pensamentos persistentes de estar com um tumor intestinal.

8. Obsessão ligada a dúvidas

Preocupação constante com o fato de não confiar em si mesmo, como não ter certeza se fez algo direito ou se realmente realizou determinada tarefa (fechar a janela, deixar uma encomenda etc.).

Quem convive com esse tipo de pensamento não consegue confiar em nada e precisa certificar-se repetidas vezes de que está tudo bem. Exemplos disso são aquelas pessoas que checam várias vezes as fechaduras de portas, janelas e os botões do fogão. Mesmo que já os tenham verificado antes, a dúvida persiste e elas não conseguem acreditar em si mesmas, começam a pensar que se enganaram ou não foram cuidadosas o suficiente. E, pronto, lá vão elas mais uma vez checar tudo de novo.

Essas checagens podem se repetir dezenas de vezes, o que impede a pessoa de ter uma boa noite de sono ou de fazer outras tarefas e resulta em atrasos e transtornos em sua vida cotidiana. Imagine o tempo perdido ao sair de casa para o trabalho, mas retornar inúmeras vezes para conferir se realmente trancou a porta. Os pensamentos obsessivos envolvidos nessa situação são de cunho catastrófico. Checar portas e janelas serve para se certificar de que nenhum ladrão invadirá a casa, e verificar os botões do fogão, para se assegurar de que a casa não vai explodir.

Nem todas as pessoas que sofrem do problema apresentam os variados tipos de pensamentos obsessivos. Algumas costumam ter apenas aqueles que estão relacionados a seus maiores medos e dúvidas. E é comum que o conteúdo desses pensamentos mude ao longo do tempo, passando por períodos de enfraquecimento e de intensificação.

É muito importante saber que o fato de apresentar tais ideias intrusivas não significa que seremos capazes de concretizá-las. Na verdade, elas se tornam obsessivas e nos perseguem porque nos sentimos bastante desconfortáveis e culpados justamente por tê-las. Uma pessoa com obsessões agressivas sofre exatamente porque considera condenáveis a agressão e o conflito. Ela se sente tão mal com esses pensamentos e luta tanto para afastá-los da mente que acaba por tê-los repetidas vezes, apesar de saber que é incapaz de fazer mal a quem quer que seja.

O problema é que essa pessoa supervaloriza a importância dos pensamentos, a ponto de considerar tão grave tê-los quanto praticá-los, quando sabemos que do pensar ao agir há uma distância muito grande. Nesse ponto, o conceito religioso de que "se peca mesmo em pensamento" é um desserviço à humanidade. Uma ideia como essa faz sofrer muito mais as pessoas que tendem a ter pensamentos obsessivos do que as efetivamente inescrupulosas, que não dão a mínima se estão pecando e se o que fazem é certo ou errado.

O que é certo ou errado preocupa demais as pessoas com pensamentos obsessivos. Elas costumam ser conscienciosas, responsáveis, perfeccionistas e preocupadas com o bem-estar dos outros. E por isso mesmo sofrem tanto ao ter pensamentos que consideram tão alheios a si próprias e temem intensamente que o fato de tê-los possa levá-las a causar danos a alguém. Na verdade, a pessoa com pensamentos obsessivos deveria se preocupar menos com eles e não lhes dar tanto crédito, pois não são os pensamentos que dirão o que ela verdadeiramente é, mas sim suas ações.

As compulsões são o elemento comportamental de sua contraparte mental, os pensamentos.

3
TOC-TOC NA MADEIRA: NEM TUDO O QUE SE REPETE É MANIA

No capítulo anterior, vimos como os pensamentos obsessivos causam desconforto, culpa e ansiedade. Muitas vezes, o desconforto é tão grande que a pessoa acaba desenvolvendo comportamentos, rituais ou manias na esperança de neutralizar qualquer possibilidade de que aconteça o que ela tanto teme.

Os pensamentos obsessivos são repetitivos e, se forem acompanhados de comportamentos ritualísticos, infelizmente estes últimos também serão repetitivos. Essa questão fica bem clara quando pensamos em uma pessoa com obsessão de contaminação. Para afastar as ideias negativas da cabeça e se certificar de que não será contaminada, ela passa a lavar as mãos, demorada e meticulosamente. Não uma nem duas vezes, mas dezenas de vezes ao dia. Tais comportamentos repetitivos, cujo objetivo é diminuir a ansiedade causada pelas obsessões, recebem o nome de *compulsões*.

Esses comportamentos compulsivos podem ser tanto manifestos — como no caso da pessoa que lava as mãos ou checa as fechaduras —, quanto encobertos na forma de atos mentais — como recitar rezas ou pensar em palavras e frases que neutralizem os pensamentos obsessivos. As pessoas, em geral, chamam esses comportamentos de manias e costumam dizer: "Fulano é cheio de manias, tem mania de limpeza, mania de arrumação". Porém, cabe aqui uma pequena explicação. Em psiquiatria, "mania" (ou "euforia") é um estado mental característico do transtorno bipolar do humor, marcado por intensa agitação, irritabilidade, impulsividade, ideias de grandeza, sentimento desmedido de alegria etc. No entanto, para facilitar o entendimento, neste livro empregarei o termo "mania" em sentido popular, correspondendo a atitudes esquisitas que adotamos e que devem ser realizadas sempre de um mesmo jeito.

Por mais extenuantes e desagradáveis que sejam esses comportamentos, a pessoa com pensamentos obsessivos ainda prefere adotá-los a se sentir responsável pelas consequências funestas que imagina que acarretarão, caso deixe de repeti-los. Quem tende a ter pensamentos obsessivos tem um grande senso de responsabilidade — por vezes até exagerado — e é cuidadoso e consciencioso a ponto de não suportar a ideia de que possa prejudicar os outros e a si mesmo por culpa dos próprios pensamentos — que já sabemos que não podemos nem devemos ter a pretensão de controlar. Mas, para os que sofrem de pensamentos obsessivos, a história é diferente: não só acreditam que devem tentar controlar e afastar tais ideias, como se sentem na responsabilidade de fazer algo para evitá-las.

Catarina, uma advogada de 36 anos, relata a mania que manteve por anos, até iniciar um tratamento bem-sucedido:

> Eu levava ao pé da letra aquela história de que não se podia entrar em lugar algum com o pé esquerdo. Só que minha versão era muito mais dramática... Eu imaginava que determinada pessoa poderia morrer se eu fizesse isso. E, como só eu sabia disso, me obrigava a fazer alguma coisa para evitar o pior. Não podia suportar a ideia de que alguém pudesse morrer por minha causa. Então, o que eu fazia? Se um colega de trabalho fosse entrar em algum lugar (na sala, no elevador, no banheiro), eu passava na frente dele e pisava na linha demarcatória da porta com os dois pés, esquerdo e direito, perfeitamente alinhados.

Se você me perguntar por que tinha de ser daquele jeito, não vou saber responder. Lógica não tem. Só sei que eu acreditava que isso evitaria um desastre. Claro que os colegas achavam que eu era mal-educada, entrona, e até diziam que eu tinha umas manias esquisitas. Na época eu já considerava absurdo fazer essas coisas, hoje sei que não faziam sentido mesmo. Imagine só: eu pensava que tinha o poder de causar a morte de alguém apenas com meus pensamentos e também de impedi-la com aquele gesto sem nexo com os pés!

É importante destacar que, à exceção de uma minoria, as pessoas com obsessões e compulsões têm consciência de que estas são irreais e ilógicas, e muitas vezes se sentem idiotas e tolas por terem de executar seus rituais. No entanto, acabam realizando-os do mesmo jeito por não suportarem a ansiedade de não cumpri-los. Sabem perfeitamente que, caso tivessem bons pensamentos repetitivos, como querer ganhar na Mega Sena, e fizessem rituais com o intuito de torná-los realidade, seria quase impossível que isso acontecesse.

Mesmo que a intenção dos comportamentos compulsivos seja aliviar a ansiedade e afastar o medo, o prejuízo por eles causado é muito maior do que o aparente benefício. Primeiro, porque o alívio é apenas temporário e a ansiedade ressurgirá assim que a pessoa voltar a ser assaltada pelos pensamentos obsessivos, necessitando executar os rituais novamente. Segundo, porque essa pessoa é torturada por uma dúvida interminável. Assim, mesmo que tenha executado o ritual cuidadosamente, sempre ficará se questionando se esqueceu alguma coisa, obrigando-se então a fazer tudo outra vez. Terceiro, porque o conteúdo de suas obsessões geralmente se refere a acontecimentos improváveis, mas, em vez de se agarrar a isso como fator mais importante, ela acaba acreditando que seus pensamentos obsessivos só não se realizam justamente por executar os rituais.

Augusto, estudante de 19 anos, dá um exemplo preciso dessa situação:

> Eu tinha um monte de manias e achava que com elas evitaria a morte do meu pai — ainda estou tentando me livrar de algumas. Ele viaja muito de avião a trabalho. E eu tinha aqueles pensamentos exagerados de que o avião poderia explodir ou cair. Como não conseguia parar de pensar nisso, tirava os dias em que ele embarcava pra não fazer nada. Ficava de quarentena, ou "resguardo", como minha irmã mais nova gostava de dizer pra me zoar. Eu não podia tomar banho naquele dia, pentear o cabelo, nem usar mais de três vezes determinadas coisas, como celular, computador ou até mesmo o interruptor de luz. Se estourasse minha cota, tinha de pedir pra alguém fazer por mim ou, em último caso, usar uma luva.
>
> Bem, meu pai não morria, e eu achava que isso só não acontecia por causa das minhas manias. Não me passava pela cabeça que se meu pai não havia morrido era simplesmente porque não tinha de ser. Que bobagem! Se eu morresse antes do meu pai, então ele morreria logo em seguida? Eu achava que sim... E pensava que era a única pessoa que tinha isso. Descobrir que muita gente sofre do mesmo problema foi importante pra mim, porque passei a acreditar que tinha jeito... E, ah, meu pai está bem vivo até hoje!

Compulsões mais comuns

Embora o conteúdo de nossos medos e pensamentos varie de uma pessoa para outra, sendo quase tão diferentes quanto são os indivíduos, certos tipos de pensamento são bastante comuns em relação às obsessões. Em consequência disso, os rituais, compulsões ou manias quase sempre se enquadram nessa mesma linha de pensamentos. É preciso lembrar a todo momento que as compulsões são o elemento comportamental de sua contraparte mental, os pensamentos. Assim, há rituais e compulsões de limpeza e desinfecção, de ordenação e simetria, de verificação ou checagem, de contagem, de colecionamento, de repetição e de atos mentais. Falarei um pouco de cada um dos tipos:

1. Compulsão ou mania de limpeza e desinfecção

Caracterizada por lavar as mãos em excesso, a ponto de irritar e ferir a pele; tomar banhos intermináveis, executados em uma sequência própria e predeterminada; usar muitos produtos de limpeza como álcool, água sanitária, detergente, entre outros.

Os rituais de limpeza estão relacionados às obsessões de mesma natureza, embora existam raros casos de compulsões puras, sem relatos de pensamentos repetitivos. Muitas vezes a pessoa chega ao ponto de evitar tocar objetos significativos, pois ao tocá-los eles serão automaticamente contaminados. Se tentar lavar o objeto, ainda restará a dúvida: ele foi limpo ou contaminou também o pano e o detergente usados? E assim sucessivamente, até não restar nada que possa ser considerado "puro".

Uma pessoa que realiza rituais de limpeza pode facilmente perder o dia inteiro em uma busca frenética por assepsia. Quando os rituais são executados durante o banho — que pode durar horas —, todo o processo de limpeza precisa seguir regras rígidas contadas segundo frequência, tempo ou outros marcos de referência. Por exemplo, lavar o cabelo com determinado xampu, que deve ser deixado na cabeça por meia hora, e depois fazer uma segunda lavagem, já com outro frasco de xampu, pois o primeiro foi contaminado pelo manuseio. Todas as partes do corpo devem ser limpas dessa maneira rígida. Caso a pessoa suspeite que deixou de executar algum passo — o que é quase certo, dadas a tendência a duvidar e a complexidade do ritual de limpeza —, pode começar tudo novamente. Esse processo causa um desperdício enorme de tempo e de dinheiro, além de prejuízos à saúde, já que são comuns os problemas de pele causados por exposição demasiada à água e a produtos de limpeza.

2. Compulsão ou mania de ordenação e simetria

Trata-se de rituais desgastantes que envolvem ordenação e organização. A pessoa que sofre com isso se obriga a guardar ou arrumar determinados objetos sempre da mesma forma, na mesma posição, e geralmente mantém alguma proporção ou simetria em relação a outros objetos. Ser organizado e sistemático é uma característica útil. No entanto, devemos desconfiar de que se trata de um ritual se a pessoa consumir muito tempo e experimentar grande sofrimento caso não consiga realizá-lo (ou duvidar de tê-lo feito perfeitamente). Pode haver também a simetria do toque. Por exemplo: a pessoa esbarra com o braço direito em um local, ainda que por acaso, e se vê obrigada a fazer o mesmo com o braço esquerdo.

3. Compulsão ou mania de verificação ou checagem

Impulso de conferir inúmeras vezes janelas, portas, botões de fogão, torneiras, bicos de gás, se o filho já chegou da escola, se o ferro está desligado, se o despertador está programado para tocar na hora certa etc.

Nos rituais de checagem verificamos as proporções dramáticas que o componente de dúvida pode assumir. Por exemplo, imagine uma pessoa que, à hora de se deitar, começa a ser assaltada pela ideia de que o gás de cozinha pode estar escapando porque ela esqueceu um dos botões do fogão aberto. Logo pensa que alguma faísca improvável causará uma explosão ou que ela e outras pessoas da casa podem morrer pela inalação do gás. Esse pensamento é assustador, e a pessoa não consegue deixar de pensar nisso repetidas vezes. Quanto mais pensa, mais ansiosa fica. Quanto mais ansiosa se sente, maior é a urgência de fazer alguma coisa que impeça a tragédia. Muito embora saiba que na verdade os botões do fogão estão fechados — porque ela mesma já tinha se certificado disso antes de se deitar —, não é suficiente saber. Ela se levanta e verifica cuidadosamente os botões. Não uma vez, mas nove vezes, pois considera o número três muito importante e ela se sente mais segura ao checar os botões em três grupos de três. Em seguida, menos ansiosa por ter certeza de que tudo está bem vedado, volta para a cama.

Em pouco tempo, porém, os mesmos pensamentos voltam a incomodá-la, e a ansiedade aumenta outra vez. Sua certeza de tudo estar fechado se esfarela por completo. Ela precisa ir à cozinha de novo, embora saiba que isso é completamente irracional, e verificar tudo mais uma vez, daquele mesmo jeito. E essa cena pode se repetir incontáveis vezes durante a noite, deixando-a exausta e prejudicando seu desempenho profissional no dia seguinte.

Esse é um caso típico de rituais de checagem, incluindo até mesmo alguns componentes de contagem. Para a pessoa acima, o número três tem um significado especial desde a infância, embora não consiga recordar por quê. Ela imagina que seja por causa do costume antigo de bater na madeira três vezes. Mas, para efeito de compulsão, poderia ser outro, como um número de sorte abstrato, a data de nascimento, o número de letras do próprio nome ou qualquer outra coisa que tenha um significado e à qual a pessoa atribua propriedades quase mágicas. Existem casos em que a pessoa só pega o terceiro ônibus que passar, só aceita dar determinado número de passos na calçada etc.

4. Compulsão ou mania de contagem

Ímpeto de contar até determinado número, em ordem crescente e decrescente, a cada pensamento intruso e de conteúdo ruim que venha à mente. Pode ocorrer também a obrigatoriedade de uma ação (como lavar as mãos) ter de ser repetida cinco, dez, dezoito, vinte vezes — ou qualquer outra quantidade, dependendo do pensamento mágico da pessoa em relação a certo número.

5. Compulsão ou mania de colecionamento

A pessoa com este tipo de compulsão costuma entulhar a casa com caixas, jornais, revistas, vidros, contas pagas, manuais, agendas antigas, laços de presente, restos de lápis, borrachas etc. Muitas vezes o espaço livre ou de circulação da casa fica extremamente restrito, para desespero dos familiares.

Esse é um dos rituais que vejo surgir com maior frequência em minha prática clínica. Trata-se daquelas pessoas "lixeiras", "entulhonas", "acumuladoras", que não conseguem se desfazer de nenhum objeto, mesmo de jornais velhos ou latas já abertas e enferrujadas, pois acreditam que podem necessitar deles algum dia. De fato, o maior componente envolvido é o medo de vir a precisar de alguma coisa e não tê-la por perto. Muitas dessas pessoas ocupam todo o espaço disponível de sua casa com os mais variados objetos velhos e usados, a ponto de terem dificuldade de se locomover. Além disso, caso algum dia elas realmente precisem de algo que está no meio do caos doméstico, é bem provável que não o encontrem.

Atualmente, os colecionadores que apresentam as formas mais graves do problema são denominados acumuladores, o que fez com que a Associação de Psiquiatria Americana reconhecesse essa condição como um transtorno diferenciado do TOC. Tal destaque se deu pela frequência e pela gravidade com que esse tipo específico de compulsão tem se apresentado. Esse comportamento tão singular chegou a inspirar diversas séries e programas na TV americana cujos roteiros exploram uma variedade expressiva de acumuladores.

Os riscos advindos desse tipo de compulsão são enormes e abarcam desde a proliferação de ratos e insetos até o perigo de incêndios. No caso de alguém com apenas traços obsessivos, isso pode ser vislumbrado no hábito de ter pena de usar ou gastar algum objeto novo. Se a pessoa algum dia chegar a usá-lo, provavelmente já terá sido devorado pelas traças.

6. Compulsão ou mania de repetição

Trata-se de repetições de ações menos específicas, como ligar e desligar o interruptor de luz; entrar e sair pela mesma porta; escrever a mesma frase várias vezes, apagar e reescrever; sair do quarto, ir até a cozinha e voltar diversas vezes. Quase sempre ocorrem combinadas com outras, como ter de repetir a checagem, a lavagem e outras compulsões certo número de vezes.

7. Compulsão ou mania mental

Por serem encobertos, esses rituais são praticamente impossíveis de detectar, a menos que a pessoa que os tenha concorde em falar sobre eles. São atos mentais voluntários realizados para tentar neutralizar os pensamentos geradores de grande ansiedade. Entre eles estão: rezar por horas a fio para evitar que algo ruim ocorra a alguém querido, ou pensar em frases, palavras, números ou símbolos aos quais a pessoa atribui significados de proteção e que afaste as ideias desagradáveis. Podem se apresentar ainda na forma de ruminações existenciais sem nenhum objetivo real de resposta: "Como será Deus? Qual o som do universo? Como e em que exato momento a vida se extingue?".

8. Compulsões ou manias diversas

Atos supersticiosos como só vestir roupas de determinada cor, só usar branco em dias santos, não usar roxo, marrom ou preto; cuspir ao passar por esquinas com velas; usar a mesma roupa em véspera de provas ou concursos; comprar carros da mesma cor, entre outros.

Assim, podemos ver que as pessoas com TOC sofrem duplamente: não só consideram inaceitáveis determinados pensamentos, como também se obrigam a executar "neutralizações" que lhes custam tempo, paciência e saúde. Segundo sua ótica ansiosa, estão sob pena de serem responsabilizadas por algum acontecimento terrível. É como estar preso em um trem fantasma de pensamentos ruins e ininterruptos, levando sustos a cada um deles e tendo de fazer o máximo possível para proteger a si mesmo e aos outros.

O TOC, tido anteriormente como um quadro raro, é na realidade mais comum que doenças clínicas de maior visibilidade e reconhecimento popular.

4
AS FACES OCULTAS DO PENSAR E DO AGIR: CARACTERÍSTICAS DO TOC

Até recentemente, o transtorno obsessivo-compulsivo só era reconhecido em sua forma clássica, que corresponde às pessoas com um quadro de TOC grave. No entanto, todas as alterações de comportamento que trazem limitações sociais, pessoais, acadêmicas ou profissionais devem ser tratadas, independentemente da extensão e da intensidade dessas limitações. No caso do TOC, é possível encontrar sintomas desconfortáveis desde sua forma mais leve, passando pela moderada, até a mais grave. Esse espectro de intensidade do TOC pode ser comparado a uma iluminação feita pelo sistema de um dímer, no qual a intensidade da luminosidade das lâmpadas é ajustada por um botão que confere ao ambiente desde um tom à meia-luz até o brilho do sol do meio-dia.

Entretanto, apenas os tipos de TOC do "sol do meio-dia" costumavam ser diagnosticados e tratados. Por isso, as estatísticas sobre o TOC eram bastante distorcidas até bem pouco tempo atrás. Para se ter uma ideia, no final da década de 1980 estimava-se que apenas 0,2% da população norte-americana sofria com pensamentos impostos e repetitivos e ações realizadas de forma incontrolável. Segundo a Associação de Psiquiatria Americana, 2,5% da população em geral sofre de TOC, e ele atinge igualmente homens e mulheres de diferentes países, culturas e níveis socioeconômicos. Os homens parecem levar uma pequena desvantagem quanto ao início dos sintomas e costumam apresentá-los mais precocemente, ainda na infância. Assim, na faixa etária entre seis e quinze anos, é mais frequente ver meninos com sinais do transtorno do que meninas.

Observando essas estatísticas mais atuais, podemos dizer que o TOC não é um transtorno raro, pois, se recorrermos a um dado comparativo, veremos que 0,4% da população brasileira é portadora do vírus HIV e 1,38% sofre de hepatite C.[1]

Isso significa que o TOC, tido anteriormente como um quadro raro, é na realidade mais comum que doenças clínicas de maior visibilidade e reconhecimento popular.

Para ilustrar a importância da divulgação desse transtorno, transcrevemos o depoimento do médico dermatologista Marcondes, de 52 anos, que passou a se informar sobre o TOC depois de tentar insistentemente curar um paciente que não respondia a um tratamento para múltiplas lesões na pele:

> Quando comecei a tratar esse paciente, julgava ser um problema simples. Sem entrar em minúcias técnicas, estabeleci um tratamento medicamentoso tópico que deveria resolver o problema em pouco tempo, caso ele seguisse as recomendações. Mas ele voltava todo mês, trazido pela mãe, apesar de já ter 22 anos, e sem apresentar resultados satisfatórios. Fiquei surpreso, mas mudei o método de tratamento.
>
> No quinto retorno do paciente, comecei a duvidar da minha competência e até a suspeitar que ele não estivesse seguindo o tratamento como deveria. Dessa vez, pedi para conversar a sós com a mãe do paciente. Precisava investigar um pouco mais.
>
> Fiquei sabendo que o rapaz não trabalhava, não estudava e evitava sair de casa. A mãe não sabia o que ele fazia durante o dia, já que ela trabalhava fora, mas me assegurou que ele usava os medi-

---

1. *Boletim Epidemiológico — Aids e DST, Ministério da Saúde,* 2014, e *Boletim Epidemiológico — Hepatites Virais, Ministério da Saúde,* 2012, respectivamente.

camentos, pois via as embalagens abertas e usadas. Aquela mãe não desconfiava de nada, mas eu pressentia que havia algo mais ali e encaminhei o caso para a psiquiatria.

Posteriormente, soube pela colega psiquiatra que ele mesmo se escoriava, coçava e apertava as feridas, e retirava o que ele chamava de "casquinhas", porque tinha o hábito de guardá-las. Diagnóstico: TOC. Passei a me informar mais sobre esse transtorno e agora estou bem atento a sinais que surgem quando a pessoa toma banhos prolongados ou tem outros comportamentos típicos do TOC.

Vergonha dos rituais

Vários fatores têm contribuído para a identificação de novos casos de TOC, como os avanços no conhecimento da bioquímica cerebral, a divulgação do conhecimento científico na forma de literatura médica com linguagem acessível e o advento de exames de neuroimagens sofisticados que possibilitam a observação do cérebro em funcionamento, como o SPECT[2] e o PET SCAN.[3]

E por que não falar sobre a paixão de Hollywood pelos transtornos de comportamento, que acabou popularizando o TOC por meio do formidável filme *Melhor é impossível*.[4] Essa deliciosa comédia romântica de humor refinado foi um marco que definitivamente abriu portas para os que sofrem do transtorno. Espelhados no personagem Melvin Udall, brilhantemente inter-

---

2. Tomografia computadorizada por emissão de fóton único. Em inglês, *Single Photon Emission Computed Tomography*.
3. Tomografia por emissão de pósitron. Em inglês, *Positron Emission Tomography*.
4. Ganhador do Oscar de 1998, dirigido por James L. Brooks, estrelado por Jack Nicholson e Helen Hunt.

pretado por Jack Nicholson, muitos espectadores descobriram que sofriam da mesma doença e buscaram ajuda especializada. Melvin, um escritor metódico, é cheio de rituais: gosta de tudo simetricamente organizado, usa luvas para não se contaminar, verifica sistematicamente as trancas da porta, lava as mãos diversas vezes com água quente e com muitos sabonetes, e não pisa nas riscas das calçadas. Provavelmente esse filme foi uma das maiores contribuições da indústria cinematográfica ao grande público no que se refere ao sofrimento alheio.

No Brasil, a atriz Luciana Vendramini foi uma das pioneiras em assumir publicamente o seu drama pessoal com o TOC. Com essa atitude, ela incentivou as pessoas que sofriam em silêncio e nem sequer sabiam que existia tratamento a buscarem ajuda. Os primeiros sinais da doença de Luciana surgiram em 1996, agravando-se de forma dramática ao longo dos anos, até que ela iniciou o tratamento adequado e bem-sucedido.

Nos piores momentos de seu transtorno, Luciana lavava as mãos repetidas vezes, chegava a tomar banhos de dez horas consecutivas e costumava ficar muito tempo imóvel na mesma posição para evitar novas contaminações. Ela se obrigava a cumprir uma série de rituais para dormir ou iniciar o dia, que se estendiam por muitas horas e a impediam de sair de casa, de namorar e de trabalhar. Em uma declaração ao jornal *O Globo*, ela relata um momento de grande sofrimento: "Cheguei a ficar 26 horas de pé, parada em frente ao meu prédio, sem conseguir entrar porque, quando eu passava embaixo de um fio, fazia barulho. Aquilo era um sinal de ameaça. Se eu desobedecesse ao aviso, algo de muito ruim aconteceria. Era uma não lógica que eu criei". Em entrevista posterior, concedida à revista *Veja*, a atriz revelou que só conseguia dormir se visse um táxi amarelo passando na rua. Tempos depois, ela só ia para a cama se visse dois táxis amarelos, um atrás do outro. Ao longo do tempo passou a se obrigar a ver não só os dois táxis amarelos, como também uma pessoa andando na direção oposta. "Eu chorava de ódio de mim mesma porque não conseguia mais controlar meus pensamentos", complementou. Hoje Luciana está recuperada e de volta à vida.[5]

Não poderia deixar de citar aqui também a grande contribuição do cantor Roberto Carlos ao declarar à imprensa que sofria do mesmo problema. Suas notórias manias e superstições — como sair pela mesma porta que havia entrado, não usar nada da cor marrom, evitar palavras de conotação negativa e o perfeccionismo nas gravações — se tratavam de um quadro mais grave.

Roberto, que já sofria com os sintomas de TOC, soube do caso de Luciana Vendramini e se animou a procurar ajuda. Em entrevista à revista *Veja*, em 2004, ele aconselha que os indivíduos com transtorno obsessivo-compulsivo também procurem ajuda o mais rápido possível: "O transtorno é mais sério do que se imagina, perturba muito, e o paciente precisa ter coragem, disposição e empenho", disse o cantor. Pouco tempo depois, em entrevista à jornalista Glória Maria para o programa *Fantástico*, o rei falou sobre suas melhoras e os sucessos obtidos no tratamento do TOC: "Já tenho alguns resultados bastante bons, estou mais realista". Perguntado sobre suas superstições, Roberto foi enfático: "O que eu tenho mesmo é transtorno obsessivo-compulsivo, superstição eu tenho muito pouco". Com quase sessenta anos de carreira artística, em abril de 2016, visivelmente mais solto e jovial, Roberto Carlos comemorou 75 anos de idade com um grande show em Cachoeiro do Itapemi-

---

5. *O Globo*, 7 de dezembro de 2003. *Veja*, ed. 1852, 5 de maio de 2004.

rim (ES) — cidade onde nasceu — e disse se sentir ainda com 57 anos e muito contente.[6]

Apesar dessa maior divulgação, para quem tem TOC ainda não é fácil contar que tem ideias e ações repetitivas e desagradáveis. Essas pessoas em geral têm consciência de que suas obsessões e compulsões são esquisitas e desprovidas de racionalidade ou lógica, e isso faz com que se sintam ridículas. Do ridículo à vergonha é um pulo. Essa vergonha de pensar e fazer coisas "estranhas" traz o medo do que "os outros possam pensar" e, em consequência, a ocultação dos sintomas. Em um grande número de casos de TOC, pessoas muito próximas do paciente (cônjuge, amigos, pais, irmãos etc.) não têm conhecimento de seus sintomas e do sofrimento produzido por eles.

Um exemplo da dificuldade de buscar ajuda por causa da vergonha é o depoimento de Lívia, 40 anos, professora e escritora. Ela descreve como começaram seus sintomas:

> Era um lindo dia de sol. Estava um pouco cansada, mas era um cansaço gostoso. Havia passado a manhã no clube, nadando e me bronzeando com minha prima e mais duas amigas. Deitada na cama depois do banho, ainda enrolada na toalha, sentia as minhas pálpebras pesarem, enquanto olhava um raio de sol que escapava por uma fresta da cortina. Saindo daquele torpor agradável, fui invadida por um medo estranho ao observar pequenas partículas suspensas no ar, tornadas visíveis pela claridade. Comecei a pensar na quantidade de micróbios e bactérias que eu poderia estar respirando sem saber. Pensei na piscina onde nadara pela manhã,

---

6. *Veja*, ed. 1878, 3 de novembro de 2004. Programa *Fantástico*, Rede Globo, 18 de dezembro de 2005. *Jornal Nacional*, Rede Globo, 19 de abril de 2016.

temendo que ela estivesse sem cloro suficiente. Entrei de novo debaixo do chuveiro e fiquei lá por pelo menos umas duas horas. Desde então, mesmo consciente de meus exageros, não consigo controlar meus pensamentos e acabo limpando e desinfetando tudo o que vejo pela frente.

Esses sintomas começaram há dois anos, mas me empenhei em escondê-los da família e dos amigos durante esse tempo todo porque me sentia absolutamente ridícula. Mesmo sabendo que precisava de ajuda, só procurei tratamento há pouco tempo, pois eu temia o julgamento até mesmo do médico... Não atinava que o problema era tão comum que não suscitaria nenhuma reação negativa ou zombarias por parte de psiquiatras e psicólogos, familiarizados com o TOC. Ainda pretendo escrever sobre isso, de como é estar presa em uma cela que nós mesmos erguemos ao redor da nossa mente.

Os indivíduos com TOC fazem de tudo para manter seus rituais e manias sob controle na frente de outras pessoas, com receio de serem ridicularizados ou de sofrerem constrangimentos. Por isso, é bastante comum que eles os limitem a ambientes onde tenham total privacidade, como seu quarto ou o banheiro. No entanto, quando o quadro se agrava ou se torna mais agudo por algum acontecimento gerador de ansiedade ou angústia (falecimento de um ente querido, término de relacionamento, perda de emprego etc.), os rituais saem totalmente do controle e as limitações trazidas pelo transtorno ficam evidentes. Isso acaba facilitando o diagnóstico e a busca por ajuda médica adequada.

Foi o que aconteceu com Bernardo quando ele tinha 15 anos:

Olha, eu fazia minhas maluquices na hora do banho. Fazia gestos de "isola", gestos que eu achava que protegeriam minha família de acontecimentos ruins, porque eu tinha uns pensamentos de que alguém podia ser atropelado, assaltado, baleado. Meus gestos "mágicos" aumentavam cada vez mais, a ponto de parecerem quase uma dança, pois as imagens ruins não cediam e eu tinha medo de que se tornassem realidade.

Foi então que minha irmã mais velha caiu da bicicleta enquanto passeava, e aí piorou de vez. Eu pensava que minhas "mágicas" ainda não estavam suficientemente fortes. Eram vários movimentos, e eu demorava tanto no banheiro que meus pais ou irmãs espancavam a porta. Mesmo sabendo que era um baita micão, eu tentava completar os gestos no quarto dos meus pais, para protegê-los. Certa vez, minha irmã mais nova ficou observando, escondida, fazendo força para não rir: eu girava, me ajoelhava, esticava os braços para cima, esquerda, direita, para baixo, encostava a testa no chão... Era tanta coisa que nem me lembro direito. Eu sei que minha irmã saiu correndo, contou pra todo mundo. Minha mãe queria saber se eu estava usando drogas, se estava fazendo alguma simpatia.

Acho que eu nunca teria confessado se minha irmã não tivesse feito isso, e fico imaginando agora como a coisa poderia ter piorado. Resolvi contar tudo porque não aguentava mais, e então me levaram a um psicólogo. Eu me sentia a pior pessoa do mundo, mas o psicólogo me contou que já tinha lidado com vários casos semelhantes. Fiquei bolado: ou eu não era tão doente quanto pensava, ou tinha muito mais gente parecida comigo.

Calcula-se que o paciente com TOC possa levar em média sete anos, a partir do início dos sintomas, para receber tratamento específico. Em alguns casos extremos, esse tempo pode chegar a vinte ou trinta anos, e não raro o tratamento pode jamais ocorrer.

É o que nos conta Luísa, de 63 anos, sobre sua irmã mais velha, já falecida:

Só depois que Amália morreu descobri o que acontecia com ela. Ela sempre foi meio sistemática, chata, não gostava que mexessem nas coisas. Tínhamos de entrar descalços na casa dela. Parece que a coisa piorou muito depois que se aposentou. A partir daí, nenhuma empregada ficava com ela por mais de seis meses. Ela dizia que todas eram "sujismundas" e relapsas. Viúva e sem filhos, minha irmã morava sozinha. Então nós não sabíamos muito bem o que acontecia por lá, mas desconfiávamos que o problema fosse ela.

Depois que Amália se foi — de um ataque cardíaco —, uma das meninas que trabalhavam lá contou que ela tomava banhos de três, quatro horas... Queria que elas limpassem as coisas repetidamente, usando luvas, máscara, roupão. E tinham de tomar banho com detergente quando chegavam, entre outras coisas absurdas. Eu me sinto mal por ter considerado por tanto tempo que minha irmã fosse uma pessoa enjoada e esnobe. Se eu soubesse antes que era uma doença, nós poderíamos ter tentado ajudá-la. Quem sabe até ela não tivesse tantos problemas cardíacos e ainda estivesse viva, se não tivesse levado uma vida tão sofrida, perseguida pelo medo de doenças e sujeira?

O psiquiatra ou psicólogo nunca deve esperar que o paciente com TOC revele de pronto seus pensamentos e suas ações mais ocultas. No entanto, existem indícios indiretos que podem ser decisivos no diagnóstico do transtorno. Entre eles estão a longa permanência em banhos; mãos avermelhadas e pele descamativa; cabelos sempre molhados; gasto exagerado de sabonetes, xampus, produtos de limpeza e papel higiênico; demora em se vestir; atrasos constantes; repetição de algumas perguntas aparentemente sem sentido; lentidão na execução de tarefas cotidianas; alteração no rendimento escolar, profissional, social e afetivo; conferência constante de gás, portas, janelas, luzes, bocas do fogão; interesse exagerado por determinadas doenças.

É importante enfatizar que na maioria absoluta dos casos de TOC o indivíduo mantém sua capacidade de *insight* preservada, ou seja, ele tem noção da total falta de sentido de suas ideias e ações. Muitas vezes essa consciência leva a pessoa a uma enorme sensação de isolamento, chegando mesmo — como muitos pacientes relatam — a se sentir "a única criatura na face da Terra" a pensar e agir desse modo.

Solidão do pensar e agir

Ficar sozinho muitas vezes se torna o destino certo dos pacientes com TOC grave, tendo em vista que eles passam a evitar ou mesmo eliminar de sua vida situações ou locais que tenham o poder de despertar pensamentos ruins que gerem intensa ansiedade e acionem as desconfortáveis manias. Esse comportamento pode ocasionar incapacidade para executar até mesmo as tarefas mais corriqueiras do dia a dia, como cuidar dos filhos, cozinhar, ligar a TV, pegar em talheres, assistir a um programa sobre saúde, lavar roupa etc. Isso tende a provocar uma enorme dependência de outras pessoas, o que resulta em sérios desgastes nas relações cotidianas e em uma autoestima muito negativa.

Elisa, 33 anos, fonoaudióloga, relata como foi se isolando por causa de seus medos e da vergonha de ser vista praticando os rituais:

> Quando era pequena, costumava ficar atenta às conversas dos adultos. Ia para a sala quando minha mãe recebia visitas, prestava atenção quando minha avó falava ao telefone ou quando a empregada fazia comentários com todos da casa a respeito dos últimos crimes e tragédias. Lembro que, apesar de fontes e temas

variados, o que mais me impressionava era que as pessoas podiam sentir e fazer coisas que me pareciam estranhas. Quando, por exemplo, uma amiga da minha mãe dizia: "Eu odeio o meu marido, seria capaz de matá-lo se ele aparecesse agora na minha frente", eu pensava: "Nossa! Logo ela, que parecia tão legal". Por várias vezes, na hora do jantar, eu comentava algum assunto que me surpreendia e era repreendida por estar me metendo em conversa de adultos.

Não lembro exatamente quando, já moça, comecei a temer que algum ato meu pudesse prejudicar alguém, mas sei que aos poucos meus pensamentos passaram a ficar rodopiando em minha cabeça, fixados na mesma ideia. Nessa época, eu me lembrava das conversas que ouvia na infância e temia que, mesmo não querendo, pudesse ferir alguém. Na primeira vez que me aborreci com um namorado, tive medo de que ele ficasse perto de mim e acabei dizendo: "É melhor terminarmos tudo, pois não sei o que sou capaz de fazer com você". Ele, claro, nunca mais apareceu. Afinal, a briga tinha sido por um motivo muito tolo. Minha vida social foi ficando bastante prejudicada, e meus medos aumentavam cada vez mais. Comecei então a cercar minha vida de precauções, temendo que algum descuido fosse fatal. Acabei indo morar sozinha, não queria que ninguém me visse conferindo os botões do fogão, se a porta estava trancada, se os legumes estavam limpos de agrotóxicos e mais uma infinidade de esquisitices!

Ampliação dos estímulos

Na maioria dos casos de TOC constatamos obsessões associadas a compulsões. No entanto, podemos encontrar ainda apenas ideias, imagens e impulsos obsessivos sem nenhuma associação com compulsões. O mais raro de ocorrer é que a pessoa com

TOC apresente só compulsões, sem nenhum tipo de pensamento obsessivo elaborado. Nesses casos, as manias são desencadeadas por intensa e incontrolável sensação de imperfeição, desconforto e falta de completude. Por esses motivos, as ações são repetidas até que a pessoa experimente a sensação de que aquilo que ela está fazendo está correto, perfeito e completo.

É importante destacar que, na evolução do TOC, habitualmente ocorrem mudanças dos tipos de sintoma. Ou seja, um indivíduo pode apresentar ideias fixas de contaminação (aids, por exemplo), com manias de assepsia e desinfecção, e passar a apresentar manias de colecionamento (embalagens, bulas etc.) ou de verificação (portas, janelas, bicos de gás). Nesses casos, os primeiros rituais podem desaparecer em definitivo ou apenas temporariamente.

A gravidade dos casos de TOC é bastante variável. Em minha prática clínica, deparo com casos desde bem leves até muito graves e limitantes. Nos leves, a pessoa consegue trabalhar, embora sofra desconfortos devido a algumas limitações cotidianas, como não conseguir frequentar restaurantes, receber visitas em casa ou utilizar banheiros públicos. Os casos graves ocasionalmente apresentam aspecto incapacitante, uma vez que os sintomas podem interferir de forma maciça na capacidade produtiva do indivíduo, bem como na qualidade da vida pessoal, por consumir uma quantidade de tempo espantosa na realização de determinados rituais.

Um aspecto também muito interessante — que na maioria das vezes acaba ocorrendo na evolução do quadro de pessoas com TOC — é a ampliação ou generalização dos estímulos que desencadeiam as ideias indesejadas com as compulsões. Assim, uma pessoa com TOC que tenha ideias obsessivas de ser contaminada pelo HIV sofre profundo mal-estar toda vez que ouve falar da doença. Com a evolução do transtorno, ela pode começar a evitar o contato com pessoas infectadas pelo vírus ou ir a hospitais e consultórios médicos que tratem portadores de HIV. Mais tarde, com o agravamento do quadro, ocorre uma generalização para pessoas ou coisas supostamente relacionadas à aids, deixando de cumprimentar qualquer uma que apenas suponha fazer parte do grupo de risco.

Outro exemplo de "ampliação" é o paciente com ideias obsessivas de ferir alguém com facas. No início, ele evita pegar nesses objetos ou ir à cozinha de sua casa quando outra pessoa se encontra ali. Com o passar do tempo, pode optar por usar talheres de plástico e deixar de frequentar restaurantes, limitando-se a comer sanduíches ou salgadinhos quando está fora de casa, usando apenas guardanapos.

Uma pergunta muito frequente feita por leigos sobre as ideias e, principalmente, as ações dos indivíduos com TOC: como pessoas inteligentes podem se deixar dominar por essas coisas? Pois é, sabemos que é difícil entender isso. No entanto, o transtorno obsessivo-compulsivo não tem nenhum tipo de relação com o grau de inteligência. Trata-se de um transtorno em que a razão perde de goleada para a emoção, e esta acaba dominando todo o pensar e o agir dessas pessoas, que passam a ter ideias e atitudes que não queriam ter. Elas podem ser definidas como "solitárias prisioneiras de si mesmas".

Por fim, não posso deixar de fazer uma observação que na prática clínica tem se mostrado essencial para o tratamento adequado e eficaz. Por mais semelhantes que sejam os sintomas de pacientes com TOC, em especial os que apresentam os mesmos tipos de obsessões e rituais, cada pessoa vai reagir a suas limitações ou seus problemas de forma própria. Afinal, cada um de nós, com ou sem TOC, tem o seu jeitinho ou seu jeitão de ser, de acordo com os ingredientes que compõem a personalidade. Não existem dois pacientes iguais, ainda que ambos tenham transtorno obsessivo-compulsivo e apresentem os mesmos sintomas. Assim, o tratamento individualizado deve levar em conta não só as limitações (transtornos), mas também os aspectos positivos de cada um — sem esquecer o contexto familiar, social, profissional e afetivo, pois é isso que torna cada ser uno.

Hoje se acredita que o TOC seja decorrente de um grande jogo em que fatores diversos se combinam...

5
DE ONDE ISSO VEM? AS PROVÁVEIS CAUSAS DO TOC

Muitas das pessoas que procuram a clínica por sofrer com suas ideias repetitivas e seus rituais incontroláveis que tanto as envergonham perguntam o que, afinal, causou seu TOC. Algumas chegam a trazer uma lista de possíveis preocupações, atitudes ou substâncias que teriam tido ou utilizado durante toda a vida, na esperança de identificar o grande vilão desencadeador dessa verdadeira prisão mental que sua vida se tornou.

Na realidade não se sabe ainda as causas do TOC. No entanto, as pesquisas atuais vêm avançando rapidamente e fornecendo importantes diretrizes. Com base nisso, cientistas têm criado modelos hipotéticos com o intuito de chegar o mais próximo possível do entendimento global sobre o transtorno obsessivo-compulsivo. Hoje se acredita que o TOC seja decorrente de um grande jogo em que fatores diversos se combinam, ora de maneira quase balanceada, ora de modo a transformar determinado elemento em ator principal desse filme real chamado TOC.

Os fatores envolvidos nesse jogo são predisposição genética, situações de estresse, fatores neurobioquímicos, infecção por estreptococos beta-hemolíticos do grupo A, alterações hormonais durante a evolução da gravidez e após o parto, fatores psicológicos e ambientais, entre outros.

A interação entre essas diversas condições tem fundamental importância na formação e no funcionamento das estruturas cerebrais, dos circuitos e das conexões entre neurônios. É esse quebra-cabeça sofisticado de peças tão variáveis e individuais que determina o modo como cada cérebro vai funcionar. Uma pequena mas significativa alteração em uma ou algumas dessas partes pode fazer com que o cérebro aprisione a pessoa num padrão de pensamentos e comportamentos repetitivos, sem sentido, desagradáveis e difíceis de serem controlados.

Os sintomas variados que o TOC pode apresentar (mania de limpeza, colecionamento, simetria etc.) devem-se à interação dos diversos fatores já citados, uma vez que nenhum de nós é capaz de carregar a mesma carga genética ou ser submetido às mesmas experiências externas que outra pessoa. Se isso pudesse acontecer, além de existirem pessoas com TOC apresentando os mesmos pensamentos e os mesmos comportamentos, sem nenhum tipo de diferença, teríamos a oportunidade de fazer clones, muitos clones: um para ir ao trabalho, outro para comparecer à reunião de condomínio, outro para fazer dieta, outro para ir à academia e assim por diante — tudo em nosso lugar. Seria bom demais se fosse possível!

Fatores genéticos

Antes de incriminar seus ascendentes, lembre-se de que tudo tem um componente genético, inclusive as coisas boas. E, se você sair por aí culpando as gerações passadas, não vai chegar a lugar algum. Então pare com isso, aceite as coisas e tente melhorar o presente.

Estudos foram realizados pelos pesquisadores norte-americanos Steven Rasmussen e Ming Tsuang com gêmeos idênticos (univitelinos, com mesmo material genético) que sofrem de TOC. Eles revelaram que 65% dos gêmeos apresentavam pensamentos e comportamentos compatíveis com o transtorno, embora, na maioria das vezes, eles fizessem rituais diferentes de seus pares, tanto no sexo masculino quanto no feminino.

Algumas formas de TOC — independentemente de os indivíduos serem gêmeos — estão associadas a uma predisposição genética maior. Entre os casos familiares, uma parte parece estar relacionada aos transtornos de tiques,[1] que ocorrem com maior frequência em homens e tem início na infância.

Os estudos genéticos sugerem que não existe um único gene responsável pelo TOC, mas sim vários, uns com maior, outros com menor influência sobre a manifestação do transtorno. Uma pesquisa que de certa forma corrobora isso e também abre portas para novas possibilidades sobre a mesma e diversificada genética do "espectro TOC"[2] foi realizada pelos psiquiatras Gregory Hanna e David Rosenberg, em 2000. Os resultados constataram que, entre os familiares de primeiro grau de pacientes com TOC, 4,96% a 35% apresentavam sintomas que os enquadravam em algum transtorno do "espectro TOC".

De posse desses dados, ainda não sabemos exatamente os benefícios que a ciência nos trará quanto às possibilidades terapêuticas. Porém, não podemos negar que, seja na origem do TOC ou na dos transtornos relacionados a ele, o componente genético assume um papel fundamental.

Infecção por estreptococos beta-hemolíticos do grupo A

A infecção por estreptococos é muito comum na população em geral. Certo tipo dessa bactéria — chamado estreptococo beta-hemolítico do grupo A (SBHGA) — pode gerar uma doença

---

1. Síndrome de Tourette, abordada no capítulo 7.
2. Engloba transtornos muito parecidos com o TOC, mas que são classificados de forma distinta. Ou seja, guardam muitas semelhanças, mas não são TOC propriamente dito. Esse tema também será abordado em detalhes no capítulo 7.

conhecida como febre reumática, que se manifesta após uma infecção na garganta e pode causar inflamações nas articulações (artrite), no coração (cardite) e no cérebro (coreia).

Em 1989, a pediatra norte-americana Louise Kiessling e seus colaboradores observaram um aumento significativo de crianças com tiques após uma epidemia de febre reumática provocada por estreptococos beta-hemolíticos do grupo A. Com base nessa constatação, começou-se a especular se os mecanismos que levam à febre reumática poderiam levar também ao TOC.

No entanto, o que os estudos mais recentes parecem indicar é que esse grupo de crianças que desenvolvem TOC precocemente, acompanhado de tiques e cujos sintomas são desencadeados ou exacerbados por infecções por estreptococos, constitui uma população específica de pacientes que possuem mecanismos imunológicos alterados. Isso acabaria por lesar áreas e circuitos cerebrais, gerando as ideias obsessivas e as compulsões quase incontroláveis.

Ao atingir o cérebro, a febre reumática provoca um quadro clínico denominado coreia de Sydenham; ou dança de são Vito, por se tratar de movimentos uni ou bilaterais que lembram uma dança. Na criança que tem coreia, as pequenas estruturas cerebrais responsáveis pelos movimentos (gânglios da base) sofrem um processo inflamatório devido ao mecanismo de defesa alterado do paciente. Seus anticorpos — em vez de atacar e destruir a bactéria (estreptocócica) — atingem neurônios sadios, causando sua destruição.

Estudos foram realizados pela psiquiatra norte-americana Susan Swedo e por seus colaboradores, em 1994, e pelo psiquiatra brasileiro Fernando Asbahr e por seus colaboradores, em 1999. Os resultados constataram que pelo menos 70% dos pacientes com coreia apresentavam sintomas obsessivos e compulsivos, tais quais os pacientes que tinham TOC sem nenhum histórico de infecção bacteriana.

Swedo e seus colaboradores foram ainda mais longe e descreveram um grupo de pacientes nos quais os sintomas de TOC, tiques e coreia (distúrbio de movimentos) se iniciavam antes da puberdade, logo após uma infecção por estreptococos beta-hemolíticos do grupo A. Ela denominou esse grupo com a sigla PANDAS,[3] que se refere aos transtornos neuroinfantopsiquiátricos associados à infecção por estreptococos.

Critérios para diagnosticar PANDAS

1. Presença de tiques ou TOC, de acordo com o *Manual Diagnóstico e Estatístico dos Transtornos Mentais*;[4]
2. Início entre 3 e 12 anos de idade;
3. Ocorre em episódios;
4. Associação neurológica na forma de movimentos estranhos, especialmente coreiformes (que lembram danças inespecíficas);
5. Associação temporal com infecções pelos SBHGA.[5]

Em nosso meio, a bactéria SBHGA é muito comum. Quando uma criança — depois de ter tido dor de garganta, causada por amigdalite e sinusite — apresentar tiques, sintomas de TOC, ir-

3. Em inglês, *Pediatric Autoimmune Neuropsychiatric Disorders Associated with Streptococcal Infection.*
4. Classificação norte-americana de transtornos mentais. Em inglês, *Diagnostic and Statistical Manual of Mental Disorders.* Também conhecida como DSM-IV-TR.
5. Estreptococos beta-hemolíticos do grupo A.

ritabilidade exacerbada e desatenção, é importante que seja submetida aos exames ASO. Eles buscam a presença de anticorpos antiestreptolisina O, que nosso organismo produz após a infecção pelo SBHGA. São esses anticorpos que produzem a inflamação e o edema nas estruturas cerebrais conhecidas como gânglios da base, causando todos os transtornos descritos nos PANDAS.

TOC *versus* serotonina

A maioria dos pacientes com TOC, ao procurar tratamento, pergunta sobre uma substância chamada serotonina, um dos elementos químicos produzidos pelo cérebro que fazem as mensagens serem transmitidas entre células nervosas. Isso acontece, em parte, pela facilidade com que o conhecimento vem sendo divulgado em nossos dias, e também pelo fato de que as pessoas com TOC costumam ser bastante meticulosas antes de tomar qualquer decisão. Assim, buscam informações para poder fazer seus questionamentos.

Estudos neurobioquímicos sugerem que algumas substâncias produzidas pelo cérebro para transmitir o impulso nervoso (neurotransmissores) são importantes no surgimento do TOC. No entanto, acredita-se que a serotonina seja um elemento-chave nesse processo, uma vez que os medicamentos antidepressivos utilizados com indiscutível eficácia no tratamento das obsessões e das compulsões agem preferencialmente sobre o metabolismo desse neurotransmissor e aumentam de maneira significativa sua disponibilidade no cérebro.

Temos certeza de que a serotonina não está sozinha nessa jornada; talvez ela apareça mais que outras substâncias, que por enquanto não podemos ver com tanta clareza. No entanto, pequenas participações já começam a surgir, ainda que timidamente. É o caso da dopamina. Pacientes com TOC associado a tiques respondem melhor a um tratamento que combine antidepressivos que aumentem a serotonina e neurolépticos, substâncias que bloqueiam a transmissão da dopamina e assim regularizam os tiques, tanto vocais como motores. Esse tipo de paciente com TOC associado a tiques parece ser um subgrupo específico e será visto em detalhes no capítulo 7.

Regiões do cérebro envolvidas no TOC

Existem exames capazes de captar o volume das estruturas cerebrais, tal qual uma fotografia que tiramos para observar nossos contornos corporais. É o caso da tomografia computadorizada de crânio e da ressonância magnética cerebral. Outros, mais sofisticados, permitem avaliar a atividade de todas as áreas cerebrais através da medida do consumo de glicose pelas células nervosas. Assim, podemos comparar o funcionamento das várias regiões cerebrais das pessoas com TOC em relação às que não têm TOC e, dessa maneira, estabelecer um padrão de atividade característico do funcionamento dos cérebros envoltos em obsessões e compulsões tão desagradáveis.

Os exames que permitem a visualização do funcionamento cerebral são a ressonância magnética funcional (RMf), a tomografia por emissão de fóton único (SPECT) e a tomografia por emissão de pósitron (PET SCAN). Já há alguns anos todas essas tecnologias estão disponíveis no Brasil.

Os estudos de neuroimagem estrutural realizados até hoje nos gânglios da base sugerem que a área que parece ser mais importante é a dos chamados *núcleos caudados*. Já os estudos de neuroimagem funcional mostram um padrão alterado em um circuito cerebral que envolve estruturas conhecidas como *córtex órbito-frontal* (camada mais externa do cérebro) e *núcleos caudados*.

Para tentar entender melhor o que esses estudos de neuroimagem sinalizam, é preciso fornecer informações fundamentais sobre os gânglios da base, os lobos frontais e a metabolização de glicose em nível cerebral.

Os gânglios da base incluem os núcleos caudados, o putame e o *Globus pallidus*. Tais gânglios constituem os conjuntos de células nervosas localizados abaixo do córtex cerebral e são importantes para o início de ações e também para o controle de nossos movimentos. No cérebro humano, os gânglios da base estão particularmente interligados e até sob controle dos lobos frontais, e realizam com eles um trabalho de intensa colaboração funcional. Em relação aos núcleos caudados, esse intercâmbio é tão estreito que o neuropsicologista Elkhonon Goldberg, autor de *O cérebro executivo*, chega a considerá-los parte dos "lobos frontais maiores".

Os lobos frontais, por sua vez, são especialmente adequados para a coordenação e a integração do trabalho realizado por todas as demais regiões cerebrais, assim como um maestro regendo sua orquestra. Essa complexa e intensa conectividade exercida pelos lobos frontais implica um risco aumentado em "falhas operacionais", com o surgimento de transtornos comportamentais diversos.

A glicose é o alimento utilizado pelo organismo para produzir toda a energia de que ele necessita na realização de suas funções. Ela se origina da metabolização dos carboidratos ou açúcares que ingerimos diariamente na alimentação. O cérebro, por sua vez, é o maior consumidor de glicose do organismo. Ele consome sozinho um sexto de toda a glicose que circula em nosso sangue todos os dias. Por essa razão, podemos obter informações preciosas sobre o funcionamento do cérebro medindo o consumo de glicose de cada uma de suas regiões. Isso é possível por meio de exames que visualizam a glicose se distribuindo pelo cérebro. É possível vê-la ora sendo bem captada pelos neurônios, ora tendo sua captação aumentada ou diminuída, tudo conforme a capacidade de metabolização das células do cérebro. A glicose, nesse caso, é marcada com substâncias químicas que a tornam fluorescente e de fácil visualização nos exames de neuroimagem.

No caso do TOC, os estudos de neuroimagem funcional indicam que a interligação entre o lobo frontal e os núcleos caudados apresenta uma disfunção que pode ser percebida pelo consumo exagerado de glicose marcada nos neurônios desse circuito. Isso funciona como um indicador indireto do aumento das atividades metabólicas dessas células.

Os núcleos caudados estão envolvidos no início das ações e também no controle dos movimentos que realizamos, enquanto o lobo frontal tem o papel de coordenar e integrar essas ações e movimentos com todo o restante das atividades cerebrais (inclusive a filtragem de nossos pensamentos). Assim, podemos imaginar que uma disfunção nesse circuito tem todas as condições para desencadear pensamentos ilógicos e desagradáveis que não foram devidamente filtrados, além de ações repetitivas incômodas e, em parte, descontroladas. Eis aí os ingredientes do "bolo amargo" chamado TOC.

Gravidez

Donald Winnicott, pediatra e psicanalista britânico, chamou a atenção para a preocupação normal que toma conta de pais de primeira viagem. Ele salientou a importância desse fato para o aumento da habilidade parental de organizar um ambiente seguro capaz de suprir física e psicologicamente o bebê.

Se pensarmos na evolução da espécie humana, percebemos que certas doses de comportamentos obsessivos e compulsivos de caráter materno-paternal são muito importantes para a segurança, a saúde e a formação ética dos filhos em seus primeiros anos de vida. Tudo com grandes doses de amor, é claro.

Você que deu à luz, está esperando um bebê ou mesmo adotou ou quer adotar uma criança, responda:

- Quantas horas por dia você fica pensando em sua "cria"?
- Quantas vezes você fica preocupada se seu leite é bom, se o nenê está com fome, mesmo que ele não esteja chorando?
- Quando você ouve notícias sobre uma nova doença, pensa logo que o vírus ou a bactéria vai contaminar seu bebê a qualquer instante?

É importante destacar que, entre o oitavo mês de gravidez e os três primeiros meses após o parto, tais comportamentos são considerados normais e até adaptativos. Porém, não devem chegar a trazer aos pais, em especial à mãe, um sentimento de ansiedade ou angústia extremado, como alterar as orientações do pediatra por achá-las pouco seguras, entre outras atitudes exageradas. Por outro lado, há casos que chamam a atenção de forma preocupante. Mães no pós-parto relatam que sua mente é tomada por pensamentos sobre o bebê de sete a doze horas por dia. Duas semanas após o parto, não podiam ficar cinco minutos sem pensar no filho, mesmo se ele estivesse dormindo tranquilamente, sem manifestar nenhum tipo de desconforto.

De maneira similar à que observamos no TOC, essas mães descrevem uma série de comportamentos (rituais) com a intenção de evitar que qualquer mal ocorra com seu bebê. Esses comportamentos podem ir de checagens repetidas no bercinho à limpeza e desinfecção da casa e à proibição de visitas.

Hoje sabemos que existe uma sobreposição entre os sistemas neurobiológicos do TOC e os dos comportamentos maternos. Os gânglios da base — estruturas cerebrais envolvidas no TOC — também fazem parte do sistema da oxitocina. A oxitocina é um hormônio que ajuda a liberar o leite materno, contrai o útero durante o parto e auxilia a liberação da placenta. Estudos recentes dão destaque à sua influência sobre alguns aspectos do comportamento materno.

Todos os estudos que correlacionam TOC e oxitocina parecem apontar para um subgrupo de mulheres que apresentam sintomas de pensamentos obsessivos ritualísticos, ambos geradores de desconforto e sofrimento, e iniciados durante ou logo após a gravidez. Embora haja fortes suspeitas quanto à participação dos estrogênios (hormônios femininos) nesse processo, é precipitado juntarmos peças de um jogo de probabilidades complexas. No entanto, são elementos que devem ser levados em conta quando falamos de fatores que predispõem ao desenvolvimento do TOC.

Fatores psicológicos e ambientais

Você já parou para pensar em quem é você? Na realidade, nós somos nossa personalidade. Mas o que é nossa personalidade? Ela é resultado da interação entre aquilo que herdamos de nossos pais (nossa genética) e as experiências que vamos adquirindo durante toda a vida. Ela reúne todos os comportamentos e sentimentos que desenvolvemos em resposta às circunstâncias da vida. Sua personalidade é seu modo próprio de reagir e interagir com o mundo.

Assim, fica claro que a carga genética é de fundamental importância para a constituição de nossa personalidade. Todavia, nossas vivências interpessoais também influenciam a pessoa que somos e que nos tornamos dia após dia. Dessa forma, o ambiente familiar, principalmente na infância, é muito propício a aprendizagens desfavoráveis ou desadaptativas. Pais com comportamentos baseados em medo e ansiedade têm grande probabilidade de ensinar aos filhos padrões semelhantes, em função da exposição constante a esses modelos domésticos. Alguns pesquisadores acreditam ainda que o castigo excessivo por erros cometidos pode predispor pessoas a dúvidas obsessivas e rituais de checagem. Crescer observando pais ou irmãos excecutarem rituais provavelmente leva ao aprendizado desses, em maior ou menor extensão. Entretanto, a maioria dos pesquisadores concorda que só desenvolverá TOC, de fato, o indivíduo que for geneticamente predisposto a apresentar esse transtorno.

Em geral, os sintomas do TOC se iniciam no final da adolescência e no princípio da idade adulta, por volta dos 20 ou 25 anos, muito embora exista um número significativo de crianças com sinais claros de TOC e em franco sofrimento. Na maioria das vezes, o transtorno se deflagra durante ou logo após um período de estresse, seja na família, em relacionamentos, no trabalho etc. É incomum que o TOC comece em idade avançada, a menos que o quadro esteja relacionado a uma depressão muito grave. Também é mais raro o TOC resultar de uma lesão cerebral ou uma doença orgânica.

Por fim, o mais importante não é saber exatamente o que causa o TOC. Será que é preciso descobrir a origem exata do sofrimento para só depois ser feliz? E se você jamais souber por que certo dia começou a beber e nunca mais conseguiu parar, não poderá ser feliz? E se você nunca souber a razão de tantos pensamentos obsessivos ou rituais — ou, pior, se descobrir e essa descoberta não fizer com que eles parem —, você não merece ser feliz?

A ciência e suas minicertezas ainda podem iluminar escuridões e, apesar de não terem respostas para muitas de nossas perguntas, podem nos ajudar de forma eficaz na maioria absoluta dos casos em que o sofrimento humano é alvo de atenção. Em relação ao TOC, mesmo que a vida pareça horrível no momento e você não tenha ideia de quando esse pesadelo começou, lembre-se de que a ciência tem uma certeza: independentemente da causa, a saída está em quebrar o círculo vicioso dos rituais. Para isso, existe uma combinação exata de medicamentos adequados, psicoterapia cognitivo-comportamental e outras técnicas terapêuticas complementares capazes de trazer maior conforto e qualidade de vida aos pacientes.

Transtornos como o TOC têm sido vistos como desajustes de mecanismos naturais que, em seu funcionamento normal, possuem funções importantes e positivas.

6
O TOC SOB A LUZ DA PSICOLOGIA EVOLUTIVA

Uma das mais fascinantes ciências dedicadas a estudar e compreender o comportamento humano é filha da psicologia cognitiva[1] e da biologia evolucionária:[2] a psicologia evolutiva, também chamada de psicologia evolucionária. Ela busca explicar comportamentos e funcionamentos mentais do ser humano sob a ótica da adaptação e da seleção natural. De acordo com a psicologia evolutiva, a seleção natural não explicaria somente adaptações fisiológicas e anatômicas fundamentais para a sobrevivência das espécies, mas também padrões de comportamento e — no caso do ser humano — de funcionamento mental.

Como um exemplo bastante corriqueiro, podemos citar a conhecida ansiedade. O que é ansiedade? É uma sensação desagradável e angustiante, que pode variar de um mal-estar a um ataque

---

1. Definida como a mais poderosa teoria da mente já desenvolvida, a psicologia cognitiva transformou o ramo da psicologia. Antes um conjunto vago de ideias pouco claras, ela tornou-se uma verdadeira ciência. A psicologia cognitiva parte de dois pressupostos básicos: de que as ações e os comportamentos são causados por processos mentais e de que o cérebro humano é comparável a um computador (não no sentido que conhecemos, da máquina, e sim computador como um conjunto de operações para processar informações, capacidade de computação de estímulos e de dados do ambiente).
2. Ramo da biologia que explica o surgimento, evolução e modificação das espécies de base marcadamente darwiniana. A biologia evolucionária entende a espécie humana como descendente de espécies de primatas que, em última instância, compartilham um mesmo ancestral com todos os seres vivos. É calcada nos conceitos de hereditariedade, mutação e seleção natural.

de pânico? Sim, mas o que é realmente a ansiedade? Por que todas as pessoas normais a têm, ainda que em diferentes graus? Quais são sua função e seu valor para nossa sobrevivência, assim como a de outras espécies? São essas as perguntas que nos interessam. Certamente, a ansiedade é um dos mais eficazes e bem-sucedidos mecanismos de adaptação ao ambiente, pois é compartilhada por uma infinidade de espécies. Basta lembrarmos do gato que se arrepia ao se assustar com a ameaça de um cão. A ansiedade vem acompanhada do medo. Embora ele não seja enaltecido em uma sociedade em que as pessoas sonham ser fortes e poderosas, é uma das emoções mais imprescindíveis para nossa vida.

Um estudo bastante citado quando se quer demonstrar a importância do medo é o que foi empreendido pelos cientistas norte-americanos Randolph Nesse e George Williams com determinada espécie de peixe. Os cientistas notaram que, dentro de um grupo da mesma espécie, havia três tendências comportamentais distintas em relação ao medo: um grupo de peixinhos mais corajosos e ousados; um segundo grupo de peixinhos mais cautelosos, porém com grau de ansiedade normal; e um terceiro grupo de peixinhos francamente mais temerosos e ansiosos. Ao introduzirem uma carpa — peixe maior e de hábitos predatórios — no hábitat dos peixinhos, os pesquisadores perceberam que eles reagiam de maneira distinta. Os mais corajosos encaravam e vigiavam o intruso, os tímidos reagiam se escondendo, e os normais não faziam uma coisa nem outra, apenas se afastavam. Ao final de dois dias e meio, 40% dos peixinhos tímidos e 15% dos normais haviam sobrevivido. Dos corajosos, não sobrou nenhum para contar a história e passar seus genes adiante. Logo podemos entrever quais padrões de comportamento dessa espécie de peixe sobreviveriam em um hábitat compartilhado com vizinhos hostis.

Se quisermos transpor essa história para nossa própria espécie, imaginemos dois dos nossos antepassados distantes caminhando por uma selva, milhares de anos atrás. Eles podem estar fazendo uma ronda, já que alguns membros do grupo avistaram predadores. Enquanto caminham, percebem que as folhas de um arbusto próximo se movimentam suavemente. O menos ansioso dos dois pensará tratar-se de uma ação do vento, enquanto o mais ansioso imediatamente pensará na possibilidade de ser um predador escondido. Automaticamente, seu sistema nervoso responderá ativando as mudanças fisiológicas típicas da reação de ansiedade: taquicardia, pupilas dilatadas, suor frio, contração muscular, entre outras. Essa resposta — também chamada de *reação de luta e fuga* e abordada mais adiante — poderá fazer com que este indivíduo corra para se proteger ou se esconder.

Se tiver sido uma lufada de vento, tudo acabará bem e os dois voltarão para sua caverna. No entanto, se realmente houver um predador escondido ali, podemos imaginar qual dos dois sobreviverá para contar a história e, mais importante, para passar seus genes adiante. Nesse caso, a característica da ansiedade é fundamental para a sobrevivência desse indivíduo, e ela será herdada por seus descendentes. E é dos sobreviventes de tempos imemoriais que a humanidade descende, que nós descendemos.

Talvez hoje essas características não sejam tão fundamentais para nosso dia a dia e muitas vezes nos causem transtornos e sofrimento, em especial no caso de pessoas predispostas à ansiedade exacerbada. Contudo, elas são imprescindíveis tanto para nossa manutenção física como para nossa convivência social. Em psiquiatria e psicologia, sabe-se muito bem que a ausência de ansiedade está no cerne de graves transtornos de personalidade, como a psicopatia. Essa ausência torna os indivíduos perigosos para a sociedade, uma vez que eles não experimentam medo nem arrependimento por seus atos praticados.[3]

A função imediata da ansiedade é nos proteger. Quando ficamos ansiosos, sofremos uma série de mudanças fisiológicas cuja finalidade é nos preparar para as já mencionadas situações de luta e fuga. Nosso coração passa a bater mais rapidamente, pois é necessário que o sangue seja bombeado com maior velocidade para os músculos. A respiração se torna mais rápida, para que possamos absorver maior quantidade de oxigênio e eliminar gás carbônico. Nossas pupilas se dilatam, para que nosso sentido de visão fique mais sensível. Sentimos pés e mãos frios, já que todo o sangue se acumula nas partes centrais de nosso corpo para alimentar os grandes músculos e, secundariamente, evitar que percamos muito sangue, caso ocorram cortes e ferimentos nas extremidades. Frio também é nosso suor, para ajudar a equilibrar a temperatura do corpo e torná-lo mais escorregadio, caso precisemos entrar em confronto corporal.

Do ponto de vista evolutivo, a reação de ansiedade é fantástica em sua complexidade e eficácia. Da mesma forma, várias outras características foram desenvolvidas e selecionadas à medida que aumentava a probabilidade de uma espécie adaptar-se a seu ambiente, sobreviver e multiplicar-se. Algumas dessas características podem ser físicas, como desenvolvimento de membros, garras ou sentidos aguçados que auxiliem na caça e na defesa. Outras podem ser comportamentais e psicológicas,[4] como a preferência por certos tipos de alimento, a organização social e formas

---

3. Tema do livro *Mentes perigosas: o psicopata mora ao lado*, da autora deste.
4. No sentido de como o sistema nervoso processa as informações e responde a elas.

de comunicação entre membros da mesma espécie. Esta última atingiu um nível extremamente sofisticado na espécie humana, chegando à linguagem.

Determinados comportamentos e medos são tão universais e independentes da cultura que podemos concluir que já nascemos com eles. Parecem ser características selecionadas por milhares de anos através da seleção natural que se fixaram como parte de nossa bagagem. Um deles é o medo do escuro. As pessoas podem até mentir, dizendo que não o têm. Ou podem tê-lo domado, enfrentando-o. Mas o fato é que todos nós sentimos esse medo.

Nossos antepassados longínquos precisavam ter medo do escuro. Ele podia significar a diferença entre morrer e viver, já que era um mundo antigo em que ainda não dominávamos o fogo e não havíamos evoluído à condição de *Homo sapiens*. Se pensarmos nos dois caçadores citados anteriormente e imaginarmos que um tinha medo do escuro e outro não, é fácil perceber qual dos dois teria maior possibilidade de sobrevivência em um ambiente com predadores e perigos naturais.

Portanto, ainda hoje, quando nos levantamos para ir ao banheiro de madrugada, costumamos ir pé ante pé, às vezes olhando para os lados e sentindo um estranho desconforto acompanhado da vontade de olhar para trás. Muitas pessoas até voltam do banheiro num passo mais ligeiro e acelerado, e se jogam na cama. Outras simplesmente desistem de suas necessidades até que a luz do sol dê o ar da graça.

Na infância esse medo é muito maior, pois a criança ainda não desenvolveu as percepções necessárias para relativizar seu medo e diluí-lo em um contexto em que possa saber se está segura. Entretanto, mesmo entre os adultos o medo persiste de modo bem suave, tornando-nos mais alertas e ansiosos quando falta luz, por exemplo. A ameaça de apagões de tempos atrás nos faz lembrar, com bastante clareza, da nossa condição evolutiva. Nunca se venderam tantas velas, lanternas, lamparinas e geradores.

Hoje em dia não habitamos mais florestas e campos, nem temos predadores naturais — com exceção de nós mesmos, mas isso é outra história. Mesmo assim, o medo do escuro persiste e procuramos explicações para isso, atribuindo-o a outras circunstâncias. Elas vão desde as subjetivas, como medo de ver fantasmas, até as mais definidas e concretas, como medo de ladrões, assaltos, balas perdidas, entre outras.

Nos últimos tempos, pesquisadores evolucionistas das áreas de psicologia e psiquiatria têm se debruçado sobre a questão dos transtornos da ansiedade (que incluem TOC, pânico, fobias, entre outros).[5] Esses transtornos têm sido vistos como desajustes de mecanismos naturais que, em seu funcionamento normal, possuem funções importantes e positivas. Dois psiquiatras britânicos — Riadh Abed e Karel de Pauw — engendraram uma interessante teoria que explica sob a ótica evolucionista a existência de pensamentos obsessivos e, por conseguinte, do TOC. O fato de a ocorrência de pensamentos obsessivos — em graus variados e por pelo menos determinado período da vida — ser universal e comum a todas as nacionalidades, culturas e classes sociais parece apoiar esse senso de que é uma característica da espécie humana, resultante de um mecanismo de adaptação que cumpre determinada função.

Para entendermos que função seria essa, precisamos rever brevemente a função da ansiedade, que é nos proteger e nos colocar em condições de defesa ou de fuga diante de um perigo

---

5. De acordo com o *DSM-IV-TR: Manual Diagnóstico e Estatístico de Transtornos Mentais*, 4ª ed., 2002.

percebido, real ou imaginário. Abed e Pauw chamam essa função da ansiedade de *processo de redução de riscos on-line*.[6]

"On-line" refere-se ao imediatismo da situação. A ansiedade se apresenta como forma de evitar direta e imediatamente o risco. Haveria também um sistema *off-line* de redução de riscos, cuja função seria gerar e prever possíveis situações e cenários potencialmente perigosos e, dessa forma, evitá-los de antemão. Essa função mental ou cerebral seria o que os autores chamam de *sistema involuntário de geração de cenários de risco* (IRSGS).[7] Praticamente toda a humanidade possui essa função mental, e podemos percebê-la em funcionamento quando olhamos atentamente antes de atravessar uma rua, entramos em um local desconhecido ou olhamos desconfiados para um alimento novo, por vezes cheirando-o ou tocando-o.

Essa função continua sendo vital para nossa sobrevivência e seria o que justamente vai mal nas pessoas que apresentam TOC. Dizendo de outro modo, as pessoas com TOC sofrem por ter um IRSGS desregulado e superativado. Seus pensamentos obsessivos repetitivos seriam o resultado do descontrole dessa função mental, que culmina em um comportamento intenso, contínuo e repetido de previsão e evitação de risco. Só de pensar que algo pode acontecer, o obsessivo já empreende rituais preventivos.

Abed e Pauw usam uma interessante metáfora para esse caso: o sistema imunológico. Nosso sistema imunológico, ao entrar em contato com antígenos,[8] passa a gerar anticorpos específicos

---

6. Em inglês é chamado de *Risk Avoidance Process*.
7. *Involuntary Risk Scenario Generating System*, em inglês.
8. Substâncias e micro-organismos estranhos ao nosso organismo que podem ser potencialmente perigosos.

para combatê-los e prevenir a manifestação de alguma doença. Similarmente, nosso sistema mental de geração e previsão de risco faz a mesma coisa, sendo que os antígenos são ambientes, circunstâncias e acontecimentos externos. Por outro lado, se nosso sistema imunológico está superativado e desregulado, ele passa a atacar o próprio organismo, causando as chamadas doenças autoimunes. O TOC seria algo semelhante, mas em relação ao sistema de geração de riscos: uma doença autoimune da mente, que aprisiona a pessoa numa falsa sensação de segurança e imunidade, mas infecta e entorpece toda possibilidade de liberdade e felicidade, já que estas trazem em sua mágica aceitar a vida do modo como ela é, incerta e insegura.

Apesar de relacionados ao TOC, alguns transtornos do espectro obsessivo-compulsivo levam as pessoas a procurar o risco, enquanto outros as conduzem ao sentido oposto, ou seja, a evitar o risco.

7
ESPECTRO TOC: ESSE ARCO-ÍRIS TEM MUITO MAIS DO QUE SETE CORES

Nem tudo o que reluz é ouro, mas que parece, parece. Esse ditado popular se aplica com perfeição aos transtornos que lembram muito o TOC, mas na verdade são alterações de comportamento constituídas em uma entidade clínica independente por si só. São os chamados *transtornos do espectro TOC*, que em maior ou menor grau se assemelham ao TOC em diversos aspectos.

Os transtornos do espectro TOC partilham com o transtorno obsessivo-compulsivo muitas características. São elas: sintomas, idade de início, curso ou evolução clínica, origem, história familiar, modo de transmissão genética, comorbidades (associação com outras alterações do comportamento) e, principalmente, respostas positivas aos mesmos tipos de tratamento prescritos aos indivíduos com TOC.

Apesar de relacionados ao TOC, alguns transtornos do espectro obsessivo-compulsivo levam as pessoas a procurar o risco, enquanto outros as conduzem ao sentido oposto, ou seja, a evitá-lo. Assim, quando alguém repete uma ação diversas vezes com o intuito de evitar que algo terrível que ele tenha pensado se concretize, está evitando o risco compulsivamente. Por outro lado, alguém que joga sem parar, mesmo perdendo muito dinheiro, vai ao encontro do risco de maneira compulsiva.

Dessa forma, podemos dividir os transtornos do espectro TOC em dois grandes polos: o polo da compulsividade (quando se foge do risco e de seus prováveis sofrimentos) e o polo da impulsividade (quando a pessoa se lança ao risco e a seus possíveis prazeres).

Polo da compulsividade	Polo da impulsividade
Fuga do risco e do sofrimento	Busca do risco e do prazer

Tanto os transtornos do polo compulsivo quanto os do impulsivo podem apresentar causas e sintomas comuns e também compartilhar a mesma resposta a um tratamento farmacológico proposto ou instituído.

No polo compulsivo, encontraremos os seguintes transtornos:

- TOC
- Transtorno dismórfico corporal (dismorfofobia)
- Hipocondria
- Anorexia nervosa
- Bulimia nervosa
- Despersonalização
- Síndrome de Tourette

No polo impulsivo, temos:

- Jogo patológico
- Cleptomania
- Escoriações da pele
- Compulsão sexual
- Tricotilomania e onicofagia
- Compulsão por compras
- Compulsão pela internet

Será descrito a seguir cada um deles, para que você possa observar as semelhanças que esses transtornos partilham com o TOC, as eventuais diferenças e as situações ocasionais em que essas alterações primas-irmãs acabam dividindo a mesma morada, as mesmas roupas e as mesmas vivências.

Polo compulsivo

1. Transtorno dismórfico corporal (TDC)

Quem não se lembra da madrasta da Branca de Neve? Ela até que era uma jovem senhora bem bonita, guardadas as devidas proporções, é claro. No entanto, a infeliz cismava que não era bela o suficiente. E, como naquela época não havia medicina estética nem cirurgia plástica, a solução encontrada por ela para consertar seus defeitos estéticos foi tentar eliminar quem a fazia se lembrar de suas imperfeições: a enteada, Branca de Neve. É lógico que Branca não era perfeita — até porque ninguém é —, mas a compulsão da madrasta por alcançar um padrão de beleza nos fazia achar que a princesinha amiga dos sete anões era a beleza personificada.

Hoje a fábula da Branca de Neve e os Sete Anões é revivida diariamente sob a forma de novas promessas de beleza, rejuvenescimento e poder de sedução. Elas são feitas por milhares de produtos da indústria de cosméticos, por novas técnicas cirúrgicas e não cirúrgicas com fins estéticos, e por incontáveis academias e spas com equipes multidisciplinares. A preocupação com a aparência física está na ordem do dia do ser humano moderno. Para onde se olhe, lá está algum tipo de padrão de beleza a nos influenciar de forma direta ou subliminar.

É claro que a mídia, a propaganda e o marketing têm grande participação nisso, mas não podemos negar que a espécie humana sempre teve a tendência de valorizar o belo, ainda que esse conceito tenha variado muito de acordo com os valores culturais de determinado grupo social, assim como com a época em que o conceito era observado. Se assim não fosse, a vaidade e a luxúria não seriam fraquezas humanas a transcender dia após dia, e toda a parafernália de estímulo a esse comportamento não surtiria nenhum efeito sobre nossa maneira de agir.

Não pretendo com tais observações questionar o benefício das cirurgias plásticas que visam corrigir defeitos congênitos ou até mesmo aperfeiçoar discretos, mas incômodos, aspectos de uma constituição física. Tampouco pretendo contestar o saudável hábito de frequentar uma boa academia, ir ocasionalmente a um spa ou utilizar produtos que conservem a pele jovem e saudável. O problema está na falta de bom senso e no objetivo a ser alcançado. Se fizermos tudo isso com sensatez, visando ao nosso bem-estar e sem nos tornar escravos na busca pela forma perfeita, estaremos cuidando da saúde.

Por outro lado, se nos preocuparmos em demasia com a aparência, a ponto de prejudicar outros aspectos de nossa vida, correremos o risco de adoecer e poderemos até alterar a maneira pela qual tomamos consciência de nossa forma corporal. É como se a mente tivesse ficado míope e não conseguisse mais fazer com que nos víssemos como realmente somos. Contudo, essa miopia não é como a miopia dos impressionistas, que presentearam a humanidade com os girassóis de Van Gogh. Essa miopia só vê o erro, a imperfeição, a distorção. Se eles existem, ela os piora muito; se eles não existem, ela os cria e é capaz de aumentá-los com o tempo. Essa miopia da mente tem nome e até sobrenome: transtorno dismórfico corporal (TDC), conhecido também como dismorfofobia.

O transtorno dismórfico corporal caracteriza-se pela preocupação excessiva com um "defeito" corporal mínimo ou com "defeitos" corporais imaginários. Em ambas as situações, a pessoa vivencia enorme sofrimento por ter certeza de que seu "defeito" físico é tão grande que todos a rejeitarão graças àquele aspecto esteticamente desagradável. Como no TOC, os pensamentos invadem de forma incontrolável a mente da pessoa que, por sua vez, é tomada por preocupações exageradas em relação à aparência e não consegue se livrar delas. Mas, diferentemente de quem sofre de TOC, os indivíduos com transtorno dismórfico corporal não tendem a praticar rituais de limpeza, de colecionamento e de organização, a não ser o de verificar seu suposto grave defeito corporal. Costumam manifestar preocupação excessiva com a face (rugas, cicatrizes, acne, manchas, palidez, pelos faciais, tamanho do nariz, orelhas ou lábios), seios, nádegas ou órgãos genitais.

Inicialmente, procura-se um clínico geral para solicitar orientação e, num momento posterior, muitos seguem então para os dermatologistas e cirurgiões plásticos. De acordo com a Associação de Psiquiatria Americana, 6% a 15% dos pacientes que procuram clínicas dermatológicas e/ou realizam cirurgias estéticas apresentam o transtorno dismórfico corporal. É importante salientar que esses pacientes costumam omitir dos cirurgiões plásticos os pensamentos obsessivos sobre suas possíveis deformidades físicas. E, muitas vezes, para realizar uma nova cirurgia no mesmo local do corpo, procuram outro profissional, alegando insatisfação com o resultado anterior.

Você já deve ter visto aqueles homens grandões, sarados, com músculos enormes, abdômens-tanquinho. Claro que viu, e nem precisa estar na praia, pois hoje eles estão por toda parte. Muitos deles podem ser exemplos do que a medicina chama de dismorfia muscular, vigorexia ou complexo de Adônis. A dismorfia muscular nada mais é do que uma variação do transtorno dismórfico corporal na qual o indivíduo, apesar de possuir massa muscular evidente, ainda se considera magro e fraco, longe do padrão que gostaria de ter. É comum vermos esse quadro em homens dedicados ao fisiculturismo, fanáticos por exercícios físicos musculares e praticantes de rigorosos regimes alimentares à base de suplementos energéticos. Muitos chegam a utilizar anabolizantes para obter ganhos de massa muscular rápida. O uso dessas substâncias causa alterações de comportamento a curto e médio prazo, além dos graves problemas a longo prazo para a saúde física. Em nível comportamental, a curto prazo podemos destacar condutas agressivas e ideias de grandeza, e, a longo prazo, depressão, isolamento social e abandono das atividades laborativas. Alguns desistem da carreira profissional pela necessidade de obter mais tempo para malhar o corpo.

Os médicos devem sempre suspeitar do abuso de anabolizantes, observando o corpo dos pacientes. Em caso de dúvida, devem recorrer aos exames que medem as taxas sanguíneas dos esteroides.

Ivan, de 22 anos, estudante de Direito, fala do processo de transformação de seu corpo:

> Sempre fui um garoto franzino, do tipo que ninguém queria no time de futebol ou de vôlei. No início da adolescência, esse estereótipo do fracote sem graça começou a me incomodar muito, pois as meninas não me davam nenhuma atenção. Aos 14 anos, entrei para uma academia de ginástica e em poucos meses já frequentava as aulas de musculação todos os dias, durante duas horas. Com 18 anos, utilizava "bombas", energéticos e concentrados proteicos para reforçar a malhação. Meus colegas de infância e adolescência nem me reconhecem mais ao me encontrar na rua. Atualmente passo oito horas do dia na academia e participo de concursos de fisiculturismo, mas ainda não consigo me achar for-

te e bonito o suficiente para me relacionar com mulheres de forma séria.

Por último, é importante lembrar que o TOC e o transtorno dismórfico corporal (incluindo a dismorfia muscular) são alterações diferentes que podem ocorrer ao mesmo tempo na mesma pessoa.

Estudos recentes sugerem inclusive que o transtorno dismórfico corporal é mais frequente em familiares de pacientes com TOC quando comparado com a população em geral. Isso nos fala a favor de uma possível base genética pelo menos parcialmente comum para esses dois transtornos. E, como não poderia deixar de ser, acende mais uma luz nas possibilidades terapêuticas futuras.

2. Hipocondria

Nunca deixe uma caixa de remédio perto de um hipocondríaco — para ele, isso é algo irresistível. Sua tendência é sempre pegá-la e tentar descobrir — seja pela cor ou pelas pequeninas letras das embalagens de qualquer comprimido ou outra substância líquida ou pastosa — do que se trata, sua origem, seus efeitos colaterais e os riscos estatísticos de alterações cardíacas graves. Sem falar na bula. Se você conhece uma pessoa assim, não tome medicamentos nem fale sobre doenças perto dela, e, por favor, não deixe suas bulas à vista. Isso seria maldade, pois o hipocondríaco realmente sofre com esses atos.

A hipocondria caracteriza-se por ideias obsessivas sobre estar doente, o que acaba gerando uma compulsão (mania) de checagem com as pessoas ao redor e com médicos sobre possíveis diagnósticos e tratamentos. Enquanto no TOC o medo é de vir a ficar doente, na hipocondria o medo é de estar doente. Os rituais de checagem reduzem apenas temporariamente a ansiedade de se sentir, em geral, muito enfermo.

Maria Helena, 56 anos, viúva e dona de casa, conta que nos últimos oito meses sua vida se resumiu a consultórios médicos, clínicas de exames e pequenas internações hospitalares:

> Tudo começou com uma dor de cabeça acompanhada de ligeira tontura. Fui tomada por um verdadeiro pavor de ter uma doença séria: um tumor cerebral maligno. Sempre que realizava uma nova consulta médica e, consequentemente, uma nova bateria de exames, um médico me reafirmava que eu não tinha nada de anormal. No entanto, em menos de uma semana, lá estava eu procurando outro médico com o objetivo de recomeçar a busca definitiva pela minha doença. Não conseguia pensar em mais nada, planejava meu funeral, só falava sobre meus últimos meses de vida. Tornei a vida dos meus filhos insuportável.

As queixas mais comuns dos hipocondríacos envolvem o aparelho digestório e o cardíaco. Eles de fato acreditam ter uma doença séria, não detectada, e mesmo por meio de exames físicos e laboratoriais negativos não se convencem do contrário. Costumam recorrer a inúmeros especialistas devido à convicção de estarem com câncer, por exemplo, e se recusam a acreditar nos médicos que negam tal diagnóstico. Sendo assim, realizam uma verdadeira via-crúcis ou um "*doctor-shopping*" com o objetivo de achar uma doença inexistente, para se tornar um doente sem moléstia oficial.

No entanto, por conta dessas ironias da vida, os hipocondríacos mais afoitos acabam correndo grande risco ao se submeter a diversos exames invasivos ou utilizar medicações inadequadas ou mesmo contraindicadas para eles — e tudo isso sem nenhuma necessidade. Nesses casos, eles podem de fato causar um prejuízo maior à sua saúde.

3. Anorexia nervosa

Quando eu era criança, falar palavrão era coisa séria, xingar alguém era briga na certa! Mas, quando se é criança, sempre se dá um jeito de extravasar a raiva, de dizer para aquela coleguinha que ela foi uma "traíra" ao dançar quadrilha com seu "futuro" namorado e grande amor da sua vida, o Rodriguinho. Claro que você não pode contar a ninguém esses seus sentimentos tão secretos, nem chamá-la de traidora na cara, muito menos de... Palavrão não podia mesmo! Então lembra que a Marcelinha que dançou com o Rodriguinho é muito magra, mas magra pra caramba. Para ofendê-la, você dispara: "Olívia Palito! É isso aí, Marcelinha, nenhum menino vai te querer, você é igual à Olívia Palito!". Que maldade, não é mesmo?

Já houve tempo em que ser magra demais era motivo de vergonha e "encalhe" para muitas meninas e adolescentes. Pois é, para quem sofre de anorexia nervosa parece que esse tempo nunca existiu, uma vez que a pessoa com esse transtorno acaba desenvolvendo uma verdadeira obsessão pela magreza física e um medo mórbido de engordar. Na verdade, ocorre uma grave alteração na autopercepção da forma e/ou do tamanho do corpo. Embora se encontre excessivamente magra, a pessoa percebe seu corpo de maneira distorcida, se "vê" extremamente gorda, apesar das argumentações e dos comentários sensatos de parentes e amigos. Dessa maneira, ela recorre a jejuns (recusa em se alimentar), exercícios físicos prolongados, medicações para eliminar o apetite, laxantes e diuréticos. Com o passar do tempo, a anorexia pode ocasionar graves problemas à saúde geral do paciente, como desnutrição, anemia, depressão, osteoporose precoce, desidratação, problemas renais, cardíacos, hormonais etc.

Foi o que aconteceu com Maria Eduarda, de 15 anos. Carmen conta o sofrimento da filha durante dois anos:

> Há mais ou menos dois anos, Duda começou a se interessar pela carreira de modelo. Na época ela fez um book e chegou a ser chamada para alguns trabalhos. Aos 14 anos, após ser reprovada em um teste em uma das agências especializadas nessa área, por ter sido considerada "gordinha" demais, passou a restringir sua alimentação de maneira radical com o objetivo de atingir seu peso ideal. Em três meses, Duda perdeu dez quilos, o que me levou a procurar um clínico geral, uma vez que, além da resistência em se alimentar, ela parou de menstruar, com ausência de três ciclos consecutivos. O clínico pediu uma série de exames para analisar o estado nutricional, metabólico e hormonal da minha filha e solicitou que eu procurasse um acompanhamento psiquiátrico para Duda o mais rápido possível. Ela estava sofrendo de anorexia nervosa, um tipo de transtorno alimentar que vem acometendo adolescentes cada vez mais jovens.

Como no TOC, na anorexia existem ideias obsessivas, mas elas se restringem à forma, ao peso do corpo e ainda ao número de calorias dos alimentos. Mas há uma diferença fundamental entre as obsessões da anorexia e as do transtorno obsessivo-compulsivo. Enquanto no TOC as ideias obsessivas são vivenciadas como estranhas e alheias ao paciente, na anorexia nervosa a pessoa encontra-se convencida de que deve ficar cada vez mais magra e não vê nada de estranho nessa certeza.

Mais de 90% dos casos de anorexia nervosa ocorrem com mulheres, e o transtorno se inicia geralmente durante os primeiros anos da adolescência. Trata-se de uma doença grave, cujas taxas de mortalidade são altíssimas. Sua prevalência é bem maior em sociedades industrializadas, nas quais há abundância de alimentos, luxo e luxúrias, e, no que tange às mulheres, ser magra é ser atraente.

Uma variação da anorexia que desperta a atenção de especialistas e cresce notavelmente é a anorexia alcoólica, também denominada *drunkorexia* ou alcoolrexia. Essa nova modalidade de patologia, que ainda não possui uma classificação oficial nos manuais de doenças mentais, consiste numa mistura de transtornos alimentares e alcoolismo. Acomete principalmente adolescentes e adultas jovens que têm um medo mórbido de engordar e fazem dietas rígidas, substituindo a comida pelas calorias do álcool. A bebida alcoólica é a droga mais comum associada aos transtornos alimentares, pois anestesia emoções ruins, tais como a frustração. No caso da *drunkorexia*, o álcool reduz o apetite e causa sedação, fazendo com que durmam em vez de comer. Após o *binge drinking* (consumo excessivo de álcool, muito comum atualmente), elas lançam mão de métodos compensatórios (purgativos, citados a seguir) na tentativa de eliminar o excesso de calorias ingeridas. As consequências são devastadoras, devido à dependência do álcool e doenças associadas ao seu uso abusivo.

A mulher moderna, aparentemente mais livre, dispõe de mais recursos financeiros, maior campo de atuação profissional, poder e reconhecimento social. Em contrapartida, passou a ter dupla jornada de trabalho e está presa à ditadura da beleza que rege a sociedade atual, em que a magreza, mesmo que excessiva, é valorizada, incentivada e sinônimo de sucesso e feminilidade. Tristes tempos contraditórios: é de bom-tom que a mulher não coma, e se o fizer, que seja pouco, bem pouco mesmo!

4. Bulimia nervosa

O homem, como animal consciente, viveu sempre o conflito existencial de não poder ser tudo o que almeja, ter tudo o que deseja ou provar tudo o que a vida lhe apresenta como fascinante e sedutor. Esbarramos sempre em nossa realidade essencial: temos de fazer escolhas a todo momento, e é a partir delas que vamos tecendo a grande rede de segurança que nos protegerá pela vida afora. É o velho dilema de Hamlet: ser ou não ser, eis a questão. Podemos estender esse conflito para qualquer situação da nossa vida. Lutar por nossos sonhos ou seguir os padrões e ser medianamente satisfeitos? Casar ou esperar o grande amor de nossa vida? Comprar um carro por prazer ou por liquidez? E assim poderíamos seguir indefinidamente.

Quando o assunto é comer, deparamos com o mesmo dilema. Comer ou não comer? E mais, comer para viver ou por prazer? E quando comer é irresistível, um ato incontrolável e, além de tudo, tem um caráter insaciável? O que fazer com a overdose de culpa desse ciclo recheado de muita ansiedade, que ao girar sem parar tece um nó na alma de quem o vivencia? A bulimia nervosa é o ciclo e o nó juntos, e transforma a vida das pessoas que sofrem com ela num verdadeiro martírio diário. Como a pessoa pode evitar o fator que desencadeia todo esse ciclo atormentador? Afinal, a comida está em nosso cotidiano, regida por horários e hábitos culturais.

Na bulimia ocorrem ataques de hiperfagia (comer muito) num curto espaço de tempo, seguidos por comportamentos específicos que visam eliminar o excesso de calorias ingeridas e o possível ganho de peso advindo delas. O tipo de alimento consumido durante os ataques de comer compulsivamente em geral são doces, sorvetes ou bolos.

Assim como os pacientes com TOC, as pessoas com bulimia nervosa se envergonham de seus descontroles alimentares e procuram ocultar seus ataques de hiperfagia. Eles quase sempre ocorrem em segredo ou disfarçados tanto quanto possível. A ingestão compulsiva periódica de alimentos pode reduzir, temporariamente, um grande desconforto interno. No entanto, autocríticas severas aliadas a um sentimento depressivo costumam dominar a cena pouco tempo depois.

Os comportamentos compensatórios para eliminar o excesso de calorias e prevenir o aumento de peso possuem caráter recorrente. A ação compensatória mais comum após um ataque de hiperfagia é a indução ao vômito, que ocorre em 80% a 90% dos casos de bulimia nervosa. Os pacientes costumam utilizar os dedos para estimular o reflexo do vômito. Outras ações compensatórias incluem: uso indevido de laxantes e diuréticos, jejum por um ou mais dias, prática excessiva de exercícios na tentativa de compensar o ataque de comer compulsivamente e o uso de hormônios tireoidianos para prevenir o ganho de peso.

Isso aconteceu com Carla, 16 anos, estudante do ensino médio, que relata seu drama:

> Sempre fui uma menina certinha, do tipo que se preocupa com o futuro e com as notas da escola. De uns tempos para cá, passei a comer muito, de forma descontrolada. Comecei a me isolar, evitando o contato com amigos. Com vergonha e com a autoestima zerada, tentei fazer dietas radicais, mas elas não deram certo. Depois disso, passei a provocar vômitos toda vez que comia, além de usar laxantes, diuréticos e outros medicamentos para emagrecer.

Perdi o controle de tudo e só melhorei quando comecei a me tratar com um psiquiatra e um psicólogo.

A pessoa com bulimia nervosa tem a autoestima quase inteiramente determinada pela forma ou pelo peso de seu corpo. Esse transtorno é mais frequente entre as mulheres e costuma se iniciar na adolescência. Mesmo em tempos de muita informação, é grande o número de pessoas que ignoram que esse seja um problema médico que deve ser tratado para aliviar o sofrimento de quem secretamente acha que só vale o que pesa.

5. *Despersonalização*

Sabe aqueles dias em que você levanta e tudo parece estranho, inclusive você? A sensação é de que alguém acionou a máquina do tempo. De repente, ao acordar e iniciar o ritual de todos os dias — levantar, desligar o despertador, escovar os dentes... —, você depara com alguém no espelho que parece com você, age como você costuma agir, mas a sensação é de que algo mudou. Tudo em volta também tem um ar diferente. Então a empregada chama seu nome e diz que o café está servido. Uma desagradável ansiedade invade seu peito, e você começa a sentir saudades do futuro próximo, quando voltará a ser você novamente! Será?

Essa pequena crônica traz algumas sensações de quem sofre de um transtorno pouco conhecido, a despersonalização. Ela é definida como a sensação subjetiva de irrealidade a respeito de vários aspectos de si próprio. A pessoa experimenta uma sensação de desconexão com o próprio corpo, seus pensamentos, sentimentos ou ações, ou seja, uma autoestranheza. Quando esses episódios são recorrentes, podem ocasionar um grande desconforto, com comprometimento funcional da vida cotidiana da pessoa com esse tipo de transtorno.

A despersonalização ainda é pouco estudada, e são quase inexistentes pesquisas epidemiológicas sobre o assunto. Sabe-se, no entanto, que ela possui neurobioquímica semelhante à do TOC, o que possibilitou nos últimos anos obter respostas terapêuticas bastante satisfatórias ao aplicar os medicamentos utilizados no tratamento do transtorno obsessivo-compulsivo. É a vida sempre nos abrindo uma porta onde parecia ser necessário abrir um túnel.

6. Síndrome de Tourette

Todo mundo já ouviu falar em tique nervoso, ou até mesmo apresentou em algum momento da vida um pisca-pisca aqui, um coça-coça ali, um funga-funga acolá. É comum que as crianças tenham algum tipo de tique em um período restrito da infância. Contudo, ele não costuma trazer nenhuma limitação ou dificuldade para a realização das tarefas cotidianas e, sobretudo, não impede que elas se relacionem socialmente sem maiores constrangimentos.

Na síndrome ou transtorno de Tourette,[1] o problema é bem mais sério. O transtorno caracteriza-se pela presença de tiques vocais e motores. Os tiques vocais mais comuns são fungar, limpar a garganta, tossir, latir e uivar. Podemos ainda encontrar casos em que os pacientes repetem as próprias palavras (palilalia) ou palavras ditas por outras pessoas (ecolalia). Também há casos em que pacientes repetem palavrões ou obscenidades (coprola-

---

1. O nome se deve ao médico francês Gilles de la Tourette, que em 1884 descreveu alguns casos de pacientes que apresentavam tiques nervosos.

lia). Os tiques motores mais comuns são piscar os olhos, fazer caretas, torcer o nariz, encolher os ombros, movimentar o pescoço, morder os lábios, colocar a língua para fora, dar pulos, tocar em pessoas ou objetos e fazer movimentos com a cintura.

Situações de estresse, cansaço e exposição a outras pessoas, principalmente estranhos, pioram os tiques. Já a concentração em uma atividade prazerosa e estados de tranquilidade e relaxamento diminuem bastante sua ocorrência.

A síndrome de Tourette tem início na infância, em geral por volta dos 7 ou 8 anos. Com o passar do tempo, os tiques tendem a revelar uma alternância em sua frequência, intensidade e localização. Trata-se de um transtorno pouco comum, atingindo aproximadamente cinco pessoas em cada 10 mil, e é mais frequente no sexo masculino do que no feminino. A ocorrência de mais de um caso de Tourette na mesma família nos faz acreditar no forte componente genético como uma das principais causas desse transtorno.

Existe um cruzamento onde as estradas do TOC e do Tourette por vezes se encontram. Os pacientes com TOC costumam apresentar tiques nervosos, e uma pequena minoria tem síndrome de Tourette propriamente dita. Por outro lado, entre os pacientes com Tourette, em torno de 50% apresentam transtorno obsessivo-compulsivo associado a seu quadro primário.

Polo impulsivo

1. Jogo patológico

Façam suas apostas! O jogo vai começar!

Quem já não ouviu essas frases e não se imaginou num daqueles cassinos de Las Vegas ou Punta del Este? Ou, melhor ainda, quem não se lembra de algum filme envolvendo muita ação, romance, sexo, drogas e algum rock 'n' roll ambientado em cassinos, bingos, corridas de cavalo, videopôquer, máquinas caça-níqueis ou ainda jogo do bicho, para não esquecer essa tradição tão brasileira?

Em geral, o jogo representa uma diversão que traz sentimentos diversos como o risco, a excitação e uma expectativa cheia de entusiasmo ante a possibilidade de alcançar o grande objetivo final: *ganhar*. Jogar é, de certa forma, acreditar que a vida pode de uma hora para outra mudar totalmente — e para melhor, muito melhor. Assim, a grande maioria das pessoas joga porque precisa, mesmo que por poucos momentos, sonhar e manter viva a esperança de dias melhores. Isso é muito fácil de observar em nosso país, onde o prêmio de uma das loterias (jogos oficiais) fica acumulado e oferece quantias muito altas, capazes de transformar o mais miserável dos homens em uma pessoa rica da noite para o dia.

No transtorno chamado jogo patológico, a pessoa vai perdendo progressivamente a capacidade de resistir ao impulso de jogar, gerando assim grandes prejuízos à sua vida financeira, profissional, familiar e social. Ela passa a pensar em jogo o tempo todo, sente uma vontade irresistível de jogar e, durante o ato em si, experimenta uma sensação de alívio, prazer e recompensa. A partir daí, o jogador compulsivo começa a jogar mais tempo e a gastar mais dinheiro do que pretendia no início. Em vez de parar, ele volta a jogar com a justificativa de tentar recuperar o que perdeu e não consegue ver que a situação está piorando cada vez mais. Recorre então a empréstimos bancários, de amigos, familiares e agiotas, se desfaz de bens, assina cheques sem fundo e mente sobre seus problemas. Tudo isso para conseguir dinheiro para continuar jogando.

O jogo patológico, apesar de apresentar semelhanças com o TOC no que diz respeito às ideias obsessivas — neste caso, jogar, jogar, jogar —, tem na origem de seu impulso uma diferença bastante marcada. O jogador patológico tem seu impulso direcionado para a busca do prazer e, em consequência, sua compulsão também. Isto é, jogar e continuar cegamente, apesar dos prejuízos pessoais. Já no TOC, a pessoa sofre com ideias obsessivas dos mais diversos tipos, e seu impulso é direcionado na forma de compulsão para o sentido oposto. Ou seja, evitar o risco de que essas ideias se tornem realidade. E para isso é capaz de abrir mão de qualquer possibilidade de prazer que os riscos trazem consigo.

Uma nova modalidade de jogo patológico cresce vertiginosamente, sem fronteiras, e vem preocupando especialistas do mundo todo. São os jogos virtuais realizados por meio da internet (em computadores, tablets, celulares) e de suas facilidades de interatividade. O assunto será descrito mais detalhadamente no tópico *Compulsão pela internet*, no final deste capítulo.

Vamos lá! Façam suas apostas, o jogo vai começar!

Da próxima vez que ouvir essas frases, pense se você ou alguém muito querido não está apostando muito alto e por muito tempo. Entre a diversão e a compulsão de jogar, o limite é tênue. Nesse caso, só podemos antecipar os fatos se pararmos para refletir, pois na última rodada da noite a banca aceita e cobra tudo. E o jogador compulsivo pode pagar um preço muito alto.

2. Cleptomania

Em 2001, a atriz norte-americana Winona Ryder foi flagrada furtando roupas em uma das mais conceituadas lojas de departamento dos Estados Unidos, no elegante bairro de Beverly Hills, em Los Angeles. Será que ela precisava fazer isso? Claro que não. E então por que a respeitada atriz foi presa em flagrante? Por causa da cleptomania.

O que é isso? É a mania de furtar objetos nos mais diversos locais ou ocasiões. A pessoa pode praticar os furtos em lojas, casas de parentes e amigos, supermercados, farmácias, bancas de jornal etc. Tal qual ocorre no jogo patológico, a pessoa sente uma tensão crescente antes de cometer o furto e, no momento do ato em si, é tomada por uma sensação de prazer, alívio e gratificação.

É importante destacar que o cleptomaníaco não furta para acumular bens, enriquecer ou mesmo se vingar de alguém. Ele tem plena consciência de que o que está fazendo não é correto e na maioria das vezes tampouco necessário. Por isso, se sente culpado e com remorso. Em muitos casos, procura diminuir sua culpa compensando as lojas e pessoas furtadas ou promovendo doações desses objetos a instituições de caridade.

A vergonha que essas pessoas sentem faz com que elas escondam seu problema de todos a seu redor. Esse fato contribui para que tenhamos poucas estatísticas que indiquem a real frequência da cleptomania na população em geral. No entanto, sabemos que ela é mais comum entre as mulheres, e seu início costuma ocorrer na adolescência ou no começo da vida adulta.

Como em outras alterações em que o impulso toma forma de compulsão ou mania, a busca pelo prazer nesse caso passa pelo risco. E os cleptomaníacos também precisam de ajuda para quebrar esse ciclo que acaba trazendo mais dor do que prazer de fato.

3. Escoriações da pele

Ela voltou para casa depois de mais uma comemoração de fim de ano dos colegas do escritório. Todos aqueles brindes e a grande agitação só fizeram aumentar o aperto no coração que havia se instalado no início de dezembro.

O ano estava terminando. O inevitável e tradicional balanço existencial cedo ou tarde acabaria sendo feito. Que diferença faz se é 1º de janeiro ou 29 de setembro? Para que tanta ansiedade?

Gostaria de se sentir livre desses condicionamentos, dessas convenções sociais. Mas sentada diante da penteadeira, cara a cara com o espelho, só conseguia pensar que passaria a noite do Ano-Novo só. Tivera três namorados durante o ano, e o último — que parecia ser o amor de sua vida — foi o que lhe causou a pior decepção. E no trabalho, então? A nova diretoria, que prometia trazer grandes mudanças, aumentou as exigências burocráticas e tornou a execução dos serviços uma rotina ainda mais penosa. Estava estressada e ansiosa.

Fixou seu olhar nas marcas de acne. Percebeu uma pequena área avermelhada e um pouco protuberante. Começou a apertá-la, a princípio com delicadeza, prometendo a si mesma que só tiraria aquela espinha.

Não foi o que aconteceu. Quando parou de cutucar a pele, algumas marcas antigas sangravam e seu rosto estava todo inchado. Parecia aliviada, mas em seus olhos era possível enxergar o prenúncio da tempestade.

Existem pessoas que literalmente se entregam a cutucar a pele repetidas vezes, gerando lesões visíveis, dolorosas, que sempre lhes deixam marcas. Podem chegar a provocar cicatrizes difíceis de esconder ou disfarçar. Essas lesões podem se iniciar como resultado de esforços excessivos para manter a pele limpa, nos casos dos rituais de desinfecção. Porém, na maioria das vezes, as lesões têm origem em pequenas imperfeições momentâneas da pele. Pode ser uma acne, uma pequena vesícula (de um pelo encravado ou de um processo alérgico) ou um cravo, sobre os quais os pacientes realizam os atos de apertar, cutucar ou espremer.

Costumo dar preferência ao termo "cutucar", pois, além de ser o mais utilizado pelos próprios pacientes ao confessarem seus homicídios cutâneos, é o termo norte-americano usado para dar nome a esse transtorno. "*Skin picking*" traduz com exatidão a bagunça provocada na pele das pessoas que sofrem desse transtorno. Até porque esse comportamento de cutucar lesões preexistentes pode causar infecções secundárias e cicatrizes mais feias que as lesões originais.

As lesões — mais comuns no rosto, braços, coxas, pernas e tronco — são produzidas com as unhas, em geral à noite ou quando a pessoa está sozinha diante do espelho. A inspeção visual e palpatória (toque) da pele precede a escoriação. Nesse momento o paciente experimenta uma sensação de tensão crescente, que só é aliviada com o ato de cutucar. Em seguida, surge o sentimento de arrependimento e fracasso por não ter conseguido se controlar mais uma vez.

As escoriações da pele têm em comum com o TOC o fato de serem repetitivas, se realizarem contra a vontade da pessoa e trazerem um alívio de tensão que a pessoa experimenta ao cutucar a pele.

É importante destacar que as escoriações da pele são bem mais comuns do que imaginamos. Entretanto, as pessoas que lesam repetidas vezes a face, os braços e as pernas costumam negar que isso seja um transtorno de comportamento. Dessa forma, elas procuram clínicas dermatológicas exigindo dos especialistas resultados perfeitos, impossíveis de serem alcançados nesse tipo de tratamento.

Mais uma vez ele dobra a esquina que o desvia do caminho de casa. O coração acelerado, as mãos apertadas fortemente no volante, a respiração ofegante — tudo antecipa o prazer do qual se tornou refém. O "alarme contra incêndio" é acionado no momento exato em que estaciona o carro. Esquecera de desligar o celular e agora tinha de atender a ligação. Do outro lado ouviu aquela voz conhecida, outrora tão querida, mas que hoje soa como a de um juiz implacável. Ela pergunta se ele ainda vai demorar muito, prometera levá-la ao cinema e depois jantar fora. Infelizmente o programa terá de ser adiado, pois ele precisa terminar um relatório urgente para o dia seguinte. A desculpa automática sai sem pensar, como a mensagem de uma secretária eletrônica. Ele desliga antes que ela comece a reclamar e fazer as ameaças de sempre. Já está na porta do paraíso, e nada mais poderá detê-lo.

O dia está amanhecendo. Dentro do carro, olhando para o letreiro de luz néon que sedutoramente pisca anunciando "Paraíso dos Prazeres Relax for Men", ele sente um frio na barriga ao lembrar da noiva chorando e borrando a maquiagem. Por quanto tempo ela aguentará? Sai dirigindo em disparada, jurando nunca mais entrar por aquela porta.

Pensando bem, nunca mais é muito tempo. Ele tenta se justificar na noite seguinte, quando dobra a esquina: só mais uma vez...

A compulsão sexual caracteriza-se por comportamentos e atos sexuais praticados de forma intensiva. É mais frequente em homens e se agrava em momentos de estresse.

Vivemos numa sociedade historicamente ligada a uma cultura machista, que supervaloriza a virilidade do homem. Ser garanhão é considerado motivo de orgulho, e a mulher mais romântica tende a associar sexo com amor. Sendo assim, como perceber a linha divisória que separa a prática sexual saudável da compulsiva?

Nos consultórios médicos, é bastante usual os pacientes perguntarem sobre a média de relações íntimas considerada normal. Não sabem ao certo se estão praticando demais ou se estão aquém do resto da humanidade.

Considerando-se a diversidade dos fatores que contribuem para o aumento ou a diminuição da libido de cada pessoa, a alta frequência da prática sexual, isoladamente, não determina um quadro patológico. Porém, quem sofre de compulsão sexual perde o controle de seu comportamento, mantendo uma atividade repetitiva e impulsiva na busca por mais prazer. Logo, outros setores de sua vida acabam prejudicados, como o trabalho e a família, E cada vez mais o prazer alcançado é seguido de um grande desconforto provocado por sentimentos de culpa, remorso e vergonha.

No transtorno obsessivo-compulsivo, é comum a ocorrência de ideias obsessivas de conteúdo sexual. São imagens em geral desagradáveis para a pessoa, que invadem sua mente, deixando-a aflita e ansiosa. Ao contrário das compulsões sexuais, que se caracterizam pela busca descontrolada do prazer, no TOC os pensamentos obsessivos levam a comportamentos repetitivos que tentam afastar, neutralizar ou diminuir a ansiedade gerada. Em suma: as pessoas com TOC cujos pensamentos obsessivos sejam de cunho sexual normalmente não se predispõem a concretizá-los, e sim a evitá-los.

5. *Tricotilomania e onicofagia*

Lembra-se do Capitão Caverna? Coberto por aquela infinidade de pelos desgrenhados e maltratados, com aspecto eletrizado?

Certamente o Capitão Caverna não tinha tricotilomania, pois, se tivesse, enxergaríamos algumas falhas naquela maçaroca toda.

A característica essencial da tricotilomania é o desejo ou impulso incontrolável de arrancar fios ou tufos de cabelo. Muitas vezes esse comportamento pode se tornar tão automatizado que a pessoa age inadvertidamente, sem se dar conta do que está fazendo. Pode se tornar tão grave a ponto de a pessoa ficar com extensas falhas no couro cabeludo ou até mesmo calva. Em geral, quem sofre desse transtorno arranca fios do couro cabeludo, sobrancelhas ou cílios. Arrancar fios de outros locais, como barba e pelos pubianos, são ocorrências mais raras.

O ato de arrancar fios por si só já pode ser considerado bastante estranho, e quem sofre de tricotilomania tem completa consciência da estranheza do próprio comportamento. Porém, após arrancá-los, muitas pessoas com esse transtorno ainda se engajam em comportamentos como alisar os fios, enrolar entre os dedos, passar por entre os lábios e brincar com eles de maneira geral. Mais raramente, podem chegar a comer as raízes dos fios ou mesmo a engoli-los inteiros, o que pode até levar à necessidade de cirurgia para retirada de bolos de fios formados no estômago.

As pessoas que sofrem de tricotilomania relatam a sensação de impossibilidade de resistir ao impulso de arrancar os cabelos, que é precedido da sensação de ansiedade e tensão. Depois de arrancá-los, sentem alívio ou mesmo satisfação, e se dedicam à manipulação dos fios.

Não se sabe ao certo o que causa a tricotilomania, mas certamente o fator biológico e genético é predominante, em razão de sua grande ocorrência em famílias em que um dos membros já teve TOC ou algum dos transtornos do espectro TOC.

Em geral, a tricotilomania começa na infância ou na adolescência. Na prática clínica, temos notado que muitos adolescentes começam a puxar os cabelos assim que percebem a mudança na qualidade e na cor dos fios em razão das alterações naturais da adolescência. Isso é mais comum entre as meninas, que dizem não se conformar que o cabelo tenha ficado mais grosso, mais ondulado ou mais escuro. Assim, algumas se esmeram em catar fios destoantes do resto do cabelo. Usam o tato para sentir a textura dos fios ou ficam observando no espelho até detectar aqueles não assentados, crespos ou com qualquer outra característica que fuja do padrão por elas desejado.

O ato de puxar os fios costuma ser precedido de duas situações curiosamente opostas entre si: uma situação de aumento de estresse, que cause ansiedade e nervosismo, ou situações tranquilas, de contemplação, em que a pessoa não tenha nada de imediato para fazer e fique apenas pensando. Nestas últimas, com frequência, a pessoa começará a puxar fios distraidamente.

Esse problema ganha contornos dramáticos por causar danos à autoestima das pessoas e muitas vezes também à sua estética. É comum que deixem de sair de casa, passem a usar bonés e evitem ir à praia, piscina ou se dedicar a quaisquer outras atividades em que exponham as falhas do couro cabeludo.

O tratamento — prolongado e difícil — envolve a necessidade de ganhar maior controle sobre os próprios impulsos, o que só vem após bastante esforço e perseverança.

Lana, de 30 anos, comerciante, concordou em partilhar sua experiência:

> Meu problema começou por volta dos 12 anos, no início da puberdade. Além de crescerem alguns pelos nas axilas e na virilha, reparei que meu cabelo não era mais o mesmo. Alguns fios mudaram bastante a textura, tornaram-se mais grossos e desagradáveis ao toque. Passei a arrancá-los para saber o que estava acontecendo: a

parte mais "antiga" do cabelo, que era a metade final, era sedosa, de cor mais clara e perfeitamente lisa. A metade mais "nova", mais próxima da raiz, era mais grossa, escura e ondulada. A transformação foi súbita. De uma hora para outra, começou a nascer outro tipo de fio. Fiquei apavorada, imaginando que meu cabelo mudaria completamente. Guardei alguns desses fios e levei ao dermatologista. Ele me explicou que eram consequências naturais das alterações hormonais próprias da idade.

O que sei é que continuei a arrancar meu cabelo para acompanhar essa transição. Nem todos os fios ficaram mais grossos, alguns continuaram com aquele aspecto infantil. A maioria manteve uma textura intermediária, sem chegar a ser crespo. Outros mudaram muito, justamente os que ficavam no alto da cabeça. Eles formavam ondas ou cresciam para cima, quebrando a harmonia do penteado. Foi então que passei a arrancá-los sistematicamente. Com o passar do tempo, percebi que aquilo que era somente uma vaidade tornou-se um condicionamento, um vício. Procurava esses fios entre os outros, mesmo que eles não estivessem aparentes, e os arrancava. Depois disso, desenvolvi a mania de ficar olhando-os e alisando-os entre meus dedos antes de jogá-los fora.

Hoje em dia isso é tão automático que não percebo quando estou com a mão na cabeça procurando por eles. Meus amigos e familiares me avisam para que eu pare. Se eles não me ajudassem, eu voltaria a ter falhas no topo da cabeça, como cheguei a ter no final da adolescência. Hoje arranco os cabelos simplesmente por arrancá-los, pois me traz prazer e alívio, e não mais por questões estéticas. Estou começando um tratamento para isso, mas me recuso a pensar que um comportamento desses esteja fora do meu controle consciente.

Outro transtorno muito semelhante é a onicofagia, ou seja, o ato de roer as unhas. A onicofagia também envolve morder e mastigar (e frequentemente engolir) os cantos das unhas, onde se observam feridas, manchas de sangue ou até mesmo as famosas "casquinhas". Isso se a pessoa não arrancá-las e, fato mais incomum, mastigá-las também. As características da onicofagia são praticamente iguais às da tricotilomania, ocorrem nas mesmas situações e seguem a mesma sequência de impulso incontrolável, sensação de tensão e seu alívio.

Temos que ter em mente que, além do fator estético, o ato de roer as unhas também pode causar problemas relacionados à saúde física, uma vez que elas podem ser um transmissor de doenças. As lesões ao redor das unhas também abrem portas para micro-organismos oportunistas e, dependendo do quadro, podem dificultar ao paciente exercer atividades simples como escrever, digitar, tocar instrumentos etc. O ato de mastigar ou engolir as lascas de unhas é mais raro, mas também é bastante prejudicial, pois eventualmente a cirurgia será necessária.

6. Compulsão por compras[2]

Quem sou eu? Quem é você? Quem somos nós?

Essas perguntas existenciais tão comuns podem ser respondidas de maneiras diversas. Se quisermos nos focar no ato de consumir, podemos responder: alguém que consome, outro alguém que também consome e, finalmente, nós somos os indivíduos que consomem em uma sociedade consumista. Se nos fosse possível fazer tudo a que nos propomos todos os dias (trabalho, alimenta-

2. Tema do livro *Mentes consumistas: do consumismo à compulsão por compras*.

ção saudável, atividade física, lazer, cuidados com filhos, namorar, porque ninguém é de ferro etc.), nosso dia teria muito mais do que 24 horas. Como alongar o dia está além de nossa condição humana, só nos resta fazer tudo — ou quase tudo — correndo, sem usufruir de nada direito. Acabamos, assim, abrindo mão do nosso lazer, do nosso repouso, da nossa saúde, dos nossos prazeres reais e, principalmente, dos nossos afetos.

Antes de falar sobre compra compulsiva propriamente dita, é importante que tenhamos em mente uma visão reflexiva e crítica de nossas verdadeiras necessidades de consumo e os fatores que as influenciam.

Na sociedade capitalista, vários são os motivos que movem uma pessoa a comprar: necessidade real, carência afetiva, manutenção do status, aquisição de poder ou projeção imediata, modismo, apelo do marketing, influência de determinado grupo de convívio, ilusão de segurança etc. Sabendo disso, o mercado sempre oferece algo novo para ser consumido com a promessa de ser mais bonito, mais prático, mais eficaz, mais tudo. Isso possui o objetivo claro de desencadear em todos nós a compra por impulso, instigar aquele algo a mais que compramos, em geral atraídos por apelos publicitários instantâneos.

Na compra compulsiva, a situação é ainda mais complicada. A pessoa compra em quantidades exageradas, gasta muito mais dinheiro do que pode, contrai dívidas, o que gera prejuízos materiais e afetivos para si e para os familiares mais próximos.

O comprador compulsivo é tomado por um desejo incontrolável e, no ato da compra em si, costuma vivenciar um grande sentimento de alívio tensional, de prazer propriamente dito, ou ainda uma incrível sensação de poder e felicidade. A essa "onda boa" seguem-se em geral a culpa e o remorso por ter fracassado diante da compulsão de comprar. Aqui também habitualmente deparamos com um transtorno "secreto", uma vez que o comprador evita falar sobre seu descontrole.

A compra compulsiva é mais frequente entre as mulheres, embora já exista um número expressivo de compradores compulsivos do sexo masculino. O início do problema tende a ocorrer na juventude, por volta dos 18 anos — idade em que os pais costumam presentear a maioridade dos filhos com a liberação de cartões de crédito, muitas vezes de forma inadvertida.

Infelizmente esses jovens (ainda estudantes), antes mesmo de conquistar a independência financeira, já se veem endividados, implicados com o SPC e com o nome sujo. Os mais favorecidos financeiramente, em geral, são socorridos pelos próprios pais. Porém, os menos privilegiados não têm perspectivas de quitar seus compromissos, recorrendo a empréstimos e agiotas, o que só agrava o problema. Mesmo assim, eles acreditam que um dia conseguirão liquidar suas dívidas e continuam comprando a prazo ou pagando apenas o mínimo da fatura do cartão de crédito.

Além das facilidades de crédito e das campanhas publicitárias, a internet e os canais de televisão voltados exclusivamente para o consumo são fatores que propiciam e exacerbam o problema.

Produtos como maquiagens, joias, roupas, bolsas, sapatos e perfumes são os objetos preferidos pelas mulheres. Já os homens têm como foco celulares, eletroeletrônicos, motos e até carros.

Não podemos negar a forte influência que nossa cultura consumista exerce sobre esse transtorno. No entanto, também é inegável o componente afetivo representado pelo vazio interno que os compradores compulsivos vivenciam. Comprar coisas materiais para preencher esse vazio é inútil. É preciso despertar nossa essência, nossos verdadeiros talentos e nossas reais potencialidades, deixando o *ser* real tomar posse desse território onde o *ter* jamais consegue morada.

Antônia, de 39 anos, decoradora, casada e mãe de dois filhos, diz que sempre foi muito vaidosa e que o gosto por comprar vem de longa data; desde os 18 anos, quando seu pai abriu uma conta conjunta com ela:

> Assim que tive minha primeira conta bancária, estourei o limite do cartão de crédito duas vezes seguidas, mas meu pai achava que aquilo era coisa de adolescente imatura. Depois de casada, tive brigas homéricas com meu marido, pois não conseguia organizar minhas finanças. Após o nascimento das crianças, tudo piorou. Deixei de trabalhar, consegui uma excelente babá e sempre que podia dava uma fugidinha até o shopping e aproveitava as "ofertas imperdíveis" das liquidações e promoções. Afinal, se não as usasse, poderia guardar aquelas roupas maravilhosas e tão em conta para presentear amigas em ocasiões especiais.
>
> De promoção em promoção, a situação chegou a tal ponto que todos os dias eu esperava ansiosamente pela hora em que meu marido sairia para o trabalho, levando as crianças para a escola. Assim, eu poderia ir às compras sem dar maiores explicações. A situação veio à tona quando ele descobriu que meus cartões estavam estourados e que eu já não tinha talões de cheque por estar com dívidas no banco. Hoje, apesar do medo de perder meu marido, não sei como poderei resistir às superpromoções que virão logo após o Natal.

A compulsão por compras é mais grave do que se pode imaginar. É tal qual um vício em drogas ou jogo, de difícil controle. É comum que os compradores compulsivos comprem coisas desnecessárias ou roupas repetidas, de várias cores, sejam elas caras ou não. Tudo somente pelo prazer de comprar ou para aliviar suas ansiedades. Em casos mais graves, os compradores entulham caixas e tranqueiras em seus armários, quartos, até perderem totalmente os espaços dentro de sua própria casa.[3]

7. Compulsão pela internet

Download, upload, on-line, Twitter, blogs, chats, Youtube, Facebook, bug, streaming, Instagram, WhatsApp, Spam...

Isso lhe é familiar? Pois é. Numa era de ritmo frenético, a internet recebe terminologias com a mesma rapidez com que se desenvolve. E com ela, infelizmente, os transtornos mentais que instigam especialistas no assunto.

Embora ainda não esteja reconhecida oficialmente pela Associação de Psiquiatria Americana (APA), a compulsão pela internet (ou seu uso patológico) tem as mesmas características da compulsão por compras, sexo, jogos e outras não químicas. Os *onlineaholics* — viciados em internet ou tecnologia — apresentam sintomas semelhantes aos de outras dependências. Entre eles estão: pensamentos obsessivos do que ocorre na rede; necessidade de aumentar o tempo conectado; incapacidade de desplugar-se; prejuízos em setores vitais como o social, ocupacional, acadêmico ou recreativo; descaso com a saúde ou as atividades cotidianas para dispor de mais tempo para navegar. É possível perceber sinais de abstinência e seus sintomas indesejáveis: inquietação, irritabilidade, agressividade, movimentos involuntários dos dedos (simulando digitação) etc.

Aqueles que abusam da navegação geralmente enfrentam outros problemas, como depressão, fobia social e introspecção, e trocam a vida real pela virtual, como forma de fuga. Complica-

---

3. Consultar *Mentes consumistas*, Dra. Ana Beatriz Barbosa Silva, 2014.

ções como obesidade gerada pela falta de atividade física, trombose nos membros inferiores, lesão por esforço repetitivo (LER), problemas de postura, cansaço visual, mudanças nos horários da refeição e privação do sono também são resultados nocivos do uso prolongado e desmedido da web e dos dispositivos móveis.

Um importante desdobramento que vem ganhando contornos dramáticos e mais adeptos em todo o mundo são os jogos on-line. Esta é a versão mais moderna do jogo patológico, descrito anteriormente. O processo é veloz, e um número bastante expressivo de compulsivos pela internet também é viciado em jogos virtuais. Muitos passam horas e até dias ininterruptos sem comer, beber água ou tomar banho em função do estímulo e da interatividade com um ou mais adversários. Na Coreia do Sul, país onde surgiram as *lan houses*, sete pessoas morreram de parada cardíaca ou exaustão enquanto jogavam na internet, em 2005.[4]

Sem sequer considerar o extremo desse cenário, o fato é que o quadro do compulsivo em jogos virtuais é grave e necessita de tratamento psicoterápico aliado a medicamentos específicos para compulsão e outros problemas psiquiátricos associados.

O problema se acentua quando os jogos digitais envolvem apostas em dinheiro. Corridas de cavalo e pôquer, por exemplo, podem ser jogados com apostas altíssimas, sem que seja necessário sair do próprio quarto. No Brasil e no mundo, fãs e adeptos dessa modalidade de jogos procuram consultórios médicos quando já estão no fundo do poço, deprimidos, endividados até a alma, e veem o suicídio como solução.

Não pretendo questionar os enormes benefícios do advento da internet para a sociedade. É, sem dúvida, uma ferramenta

---

4. Revista *Galileu*, nº 187, fevereiro de 2007. Editora Globo.

indispensável para a educação, os negócios, o entretenimento e para o desenvolvimento individual e coletivo. É impossível imaginar o funcionamento do mundo globalizado sem a internet. Quando usada de forma responsável e consciente, ela é fonte de conhecimento, facilitadora na obtenção de informações, comunicação e interação social com culturas diferentes.

No entanto, para aquele que apresenta compulsão a ponto de virar sua vida de pernas para o ar, com prejuízos imensuráveis tanto para si como para as pessoas de seu convívio, já passou da hora de entender que *the game is over*!

Nas crianças, realidade e fantasia se misturam, o que faz com que elas acreditem que seus pensamentos obsessivos podem se concretizar e que os rituais de fato impedem que algo trágico aconteça.

8

TOC EM CRIANÇAS: É DESDE CEDO QUE SE DEVE DESTORCER O PEPINO

Quase todo mundo já passou por uma fase durante a infância em que, como se costuma dizer, era cheio de manias. Em geral, essas manias estavam relacionadas a medos de que algo ruim pudesse acontecer com os pais ou consigo mesmo. Muitas crianças sabem do exagero de suas manias e se sentem constrangidas com isso, fazendo esforço para que ninguém as perceba. Sendo assim, esse comportamento pode passar batido pelos próprios familiares.

A situação pode ser um pouco mais preocupante quando a criança não tem consciência de que os pensamentos obsessivos são irreais e exagerados. Nesse caso, além de ter vergonha de falar sobre o problema, ela pode apresentar uma resistência muito grande em abrir mão dos seus rituais. Entre os adultos, essa falta de consciência — chamada de *insight* pobre — é mais rara. Já nas crianças, realidade e fantasia se misturam, o que faz com que elas acreditem que seus pensamentos obsessivos podem se concretizar e que os rituais de fato impedem que algo trágico aconteça.

Essas características chamam a atenção no depoimento de Regina, de 38 anos, mãe de Caio, de 8 anos, ao descrever o estado em que seu filho se encontrava antes de buscar tratamento:

> Quando criança, eu também passei por uma fase de medo de que algo ruim pudesse acontecer com meus pais. Eu me lembro de às vezes ir ao quarto deles, quando acordava de madrugada depois de um pesadelo, e colocar o ouvido perto do rosto de-

les para me certificar de que estavam respirando. Depois eu só conseguia dormir se rezasse três vezes o pai-nosso, a ave-maria e a santa-maria. Mas eu mesma achava aquilo meio doido e não contava a ninguém. O tempo passou, e eu consegui superar esse medo, que nem de longe era tão forte quanto aquele que meu filho viria a apresentar.

Demorei a perceber o que estava acontecendo com o Caio porque ele tentava esconder... Até que notei que, sempre que ele ou alguém saía ou entrava em casa, atendia o telefone, interfone e coisas assim, ele murmurava baixinho alguma coisa. Comecei então a reparar em outras coisas que ele fazia, como entrar no quarto sem pisar no portal, fazer gestos com as mãos etc. Tive de ser muito paciente até conseguir que ele se abrisse comigo. O problema era que ele tinha vergonha, mas não achava que aquelas manias fossem ridículas. Ele acreditava que eram necessárias e, pior, em vez de atribuir os pensamentos à própria mente, ele cismava que era alguém dentro da cabeça dele. Eu pirei, achei que meu filho estava ficando louco.

Conversei com uma amiga psicóloga que me informou sobre o TOC. Aí passei a ligar uma coisa à outra: fazia meses que suas notas no colégio estavam despencando, e eu não conseguia entender o porquê. Soube também que o problema afeta a concentração e a memorização das crianças, sem contar que os próprios rituais podem influir no tempo que a criança leva para terminar um teste ou um exercício. E, realmente, na escola me disseram que ele tinha manias esquisitas, mas as professoras não falavam nada porque achavam ser o jeito dele.

Agora meu filho está em tratamento. Levei muito material sobre o assunto para o colégio, e as professoras hoje estão bem atentas. Já identificaram mais duas crianças com sintomas semelhantes. Felizmente, Caio está melhorando muito. Percebeu que os pensamentos vinham da própria cabecinha dele. E diz que o problema é que em sua cabeça há muita "penseira", mistura de pensamento com besteira.

Transtorno de ansiedade de separação

O conteúdo das obsessões infantis muitas vezes está relacionado a medos primitivos do ser humano, como o medo de escuro ou de monstros imaginários. É bem comum também que os medos estejam relacionados a desamparo ou abandono, e nesse caso a preocupação com os pais enche de fantasmas a mente da criança. Por causa disso, ela também apresentará outro transtorno associado ao TOC: o *transtorno de ansiedade de separação*.

Pouquíssimo conhecido pela população em geral, esse transtorno caracteriza-se pelo medo intenso da criança de perder pessoas importantes com quem tenha vínculos afetivos, principalmente a figura materna. Assim, a criança vigia os passos da mãe, do pai ou de ambos; apresenta muita angústia quando eles precisam se ausentar, não suporta que eles não estejam sob suas vistas ou disponíveis em algum telefone ou meio de comunicação.

A criança muitas vezes não consegue se concentrar quando está na escola, fica pensando e remoendo sobre onde os pais podem estar e o que estão fazendo. Os prejuízos muitas vezes são tão significativos que as mães se veem obrigadas a abandonar o trabalho ou outras atividades para ficar perto do filho. Isso porque a criança aproveitará cada oportunidade disponível para telefonar ou verificar se a mãe está em segurança, em geral fazendo uma vigilância implacável. Se por acaso esse filho não conseguir localizar a mãe ou não tiver certeza de que ela está segura em casa, poderá ter crises de ansiedade intensas, com choro e uma dificuldade marcante em prestar atenção nas aulas, fazer exercícios escolares ou outras tarefas necessárias.

A probabilidade de que as preocupações e os pensamentos relacionados à mãe ou ao pai se tornem obsessivos é muito grande, e eles vêm seguidos dos inevitáveis rituais. De fato, durante minha prática clínica tenho observado que a ocorrência conjunta dos dois transtornos é comum em crianças e eles são tão intimamente ligados que, para definir o que veio primeiro, é necessária minuciosa investigação clínica. É bastante difícil para algumas crianças lembrar o que teve início primeiro: a preocupação exacerbada com os pais ou os pensamentos obsessivos e os rituais.

De acordo com os critérios do *Manual Diagnóstico de Transtornos Mentais*,[1] basta encontrar três dos oito sintomas listados a seguir para caracterizar o transtorno de ansiedade de separação:

1. Sofrimento excessivo e recorrente quando há ocorrência ou previsão de afastamento de casa ou de figuras importantes de vinculação;
2. Preocupação persistente e excessiva acerca da possível perda ou de possíveis perigos envolvendo figuras importantes de vinculação;
3. Preocupação persistente e excessiva de que um evento indesejado leve à separação de uma figura importante de vinculação (por exemplo, perder-se ou ser sequestrado);
4. Relutância persistente ou recusa a ir à escola ou a qualquer outro lugar, em virtude do medo da separação;

---

1. Classificação norte-americana de transtornos mentais. Em inglês: *Diagnostic and Statistical Manual of Mental Disorders*. Também conhecida como DSM-IV-TR.

5. Temor excessivo e persistente ou relutância em ficar sozinho ou sem as figuras importantes de vinculação em casa ou sem adultos significativos em outros contextos;
6. Relutância ou recusa persistente a se recolher sem estar próximo a uma figura importante de vinculação ou a pernoitar longe de casa;
7. Pesadelos repetidos envolvendo o tema da separação;
8. Repetidas queixas de sintomas somáticos (tais como cefaleias, dores abdominais, náusea ou vômitos) quando a separação de figuras importantes de vinculação ocorre ou é prevista.

Os pais precisam estar atentos a esses sinais. Não se trata de "grude" ou mimo quando a criança demonstra excessiva necessidade de sua presença e certifica-se a todo instante de que um dos pais está por perto.

Danilo, engenheiro de 27 anos, relata um pouco sobre sua infância e o início da adolescência:

> Eu tinha verdadeiro pavor de que algo acontecesse com meus pais, principalmente com minha mãe, e eu ficasse só e desamparado no mundo. Se saísse com minha mãe e ela me pedisse para ficar em uma fila de banco enquanto ia a outro, eu entrava em desespero, pois podia acontecer alguma coisa com ela no caminho ou talvez ela não voltasse para me buscar. Era engraçado, parecia que minha mãe é que era a criança que não sabia se cuidar. Por outro lado, eu é que entrava em pânico só de pensar que poderia ser abandonado. E até hoje tenho certa desconfiança das pessoas, pois acho que elas podem mudar de ideia de uma hora para a outra e não cumprir suas promessas.
>
> Voltando ao passado, eu sentia um pavor danado e tinha muitos pensamentos ruins durante a maior parte do tempo. Nem sei

dizer quando comecei a achar que eles pudessem se tornar reais, que o fato de tê-los repetidamente fosse um sinal de que algo trágico poderia acontecer a minha mãe. Então, comecei a ver "sinais" em tudo e a elaborar meus próprios contrassinais: coisas que hoje em dia sei que são rituais compulsivos. Eram gestos de "isola", sinais da cruz, orações mentais, repetição de palavras... Isso só começou a melhorar lá pelos 13 anos, quando eu já podia sair sozinho, ao ir e voltar da escola. Nessa época percebi que não tinha mais como me perder no meio do caminho, mas mesmo assim checava várias vezes meu bolso para ver se estava com o dinheiro da passagem. Até hoje, quando minha mãe precisa sair de casa, sinto muita ansiedade.

Nunca fui de sair muito e ficava sempre lendo, perto de minha mãe, satisfeito por tê-la sob minha guarda, mesmo que estivesse quieta. Ainda hoje fico tenso quando ela sente um simples mal-estar, penso logo tratar-se algo bem mais sério. O fato de eu ter nascido quando ela já tinha 45 anos sempre me fez enxergá-la como uma pessoa muito frágil. Não consigo planejar meu futuro sem que minha mãe esteja incluída. Tenho traços de ansiedade de separação e do TOC. Sempre desviro sapatos, vez ou outra vou até ela de noite para checar sua respiração e tenho minhas maniazinhas cotidianas. Atualmente estou me tratando por causa de uma depressão, e foi com a ajuda de minha psiquiatra que descobri esses traços. Hoje estou usando uma medicação que melhora os dois problemas.

O que me parece importante é que de fato tive os transtornos durante a infância e ninguém tinha noção... Embora os sintomas mais desagradáveis tenham melhorado, sinto que a falta de tratamento durante a infância me deixou com muitas cicatrizes. Fico pensando em outras crianças na mesma situação. Se este meu relato puder fazer com que os pais prestem mais atenção ao sofrimento de seus filhos, acho que vou me sentir melhor.

Em relação ao TOC, sabe-se que os meninos tendem a apresentá-lo mais cedo do que as meninas, embora na fase adulta tanto mulheres quanto homens sejam acometidos em igual proporção. Como dito no início deste capítulo, boa parte das crianças vive uma fase de manias, que em geral somem de forma espontânea e não causam maiores prejuízos, passando muitas vezes despercebidas. No entanto, os pais devem ficar especialmente atentos se o filho começa a se mostrar um tanto sistemático, quer fazer as coisas sempre do mesmo jeito, guarda seus pertences sempre de determinada maneira, apresenta comportamentos e gestos um tanto estereotipados e padronizados. Outro alerta que pode ser observado é se a criança apresenta grande desconforto ao sujar-se, mexe incessantemente em pequenos machucadinhos e casquinhas, e tende a repetir várias vezes as mesmas perguntas.

Síndrome de Tourette

Algumas crianças com TOC também podem apresentar ocorrência da síndrome de Tourette, que faz parte do espectro TOC — descrito em detalhes no capítulo 7. O Tourette é caracterizado por tiques motores e verbais: gestos repetitivos e incontroláveis como caretas, tremores, pigarreios, imitação de sons de animais etc. Felizmente, não é muito comum que uma criança com TOC desenvolva a síndrome de Tourette. Contudo, parte considerável das crianças que já apresentam o Tourette infelizmente desenvolverá o TOC também.

A seguir, os critérios do *Manual Diagnóstico de Transtornos Mentais* para reconhecer a síndrome de Tourette:

1. Múltiplos tiques motores e um ou mais tiques vocais estiveram presentes em algum momento de manifestação da

doença, embora não necessariamente ao mesmo tempo; É considerado tique um movimento ou vocalização súbita, rápida, recorrente, não rítmica e estereotipada;

2. Os tiques ocorrem muitas vezes ao dia (geralmente em salvas), quase todos os dias ou intermitentemente durante um período de mais de um ano, sendo que durante esse período jamais houve uma fase livre de tiques superior a três meses consecutivos;
3. O início dá-se antes dos 18 anos;
4. A perturbação não se deve aos efeitos fisiológicos diretos de uma substância (por exemplo, estimulantes) ou de uma condição médica geral (por exemplo, doença de Huntington ou encefalite pós-viral).

No caso da síndrome de Tourette, é preciso que os pais estejam atentos e não pensem se tratar de simples cacoetes ou manias. Esse é um transtorno mais difícil de ser tratado, com alterações neurofuncionais mais pronunciadas que demanda um tratamento constante por toda a vida. A sensação de falta de controle é muito mais intensa do que naqueles que sofrem de TOC simples.

Sobre um caso desse tipo, a assistente social Rosa, mãe de Felipe, de 9 anos, dá seu depoimento:

> Quando o Felipe tinha mais ou menos 7 anos, a gente pensava que ele estava com cacoetes, que fosse uma mania passageira. Ele fazia umas caretas, uns movimentos estranhos com a boca e, ao ser repreendido, dizia que alguma coisa estava incomodando. Eu achava que era um restinho de comida e mandava-o escovar os dentes. Como Felipe continuava, comecei a pensar que isso só podia ser provocação. A gente insistia muito para ele parar com aquelas ca-

retas horríveis, que àquela altura já ocorriam em qualquer lugar, na escola, em festas, na frente de desconhecidos, mas não tinha jeito.

Certa vez, nosso filho teve uma explosão de choro e disse que ninguém acreditava nele. O fato é que Felipe não conseguia conter a vontade de fazer caretas e, quanto mais tentava controlar, mais se tornava intenso o incômodo que sentia. Nós tentamos entender, embora nos parecesse muito estranho. Meu marido, que é engenheiro, fez uma metáfora para que ele confirmasse se a gente conseguia entendê-lo direito: era como se fosse uma mola comprimida ao máximo, em que você aplica tanta força para contê-la a ponto de o cansaço se tornar grande. Por fim, você não aguenta mais, e a mola dispara com toda a pressão. Felipe gritou: "É isso, papai! Papai, eu não quero ser assim, me ajuda". Fomos às lágrimas.

Àquela altura, ele já tinha outros cacoetes, que variavam e se alternavam. Alguns eram óbvios, outros, bastante discretos. Perguntamos ao pediatra o que achava disso. Ele nos falou do Tourette e nos recomendou um psiquiatra infantil. Hoje em dia nosso filho está melhor, toma medicações. No início resistimos muito à ideia de que, no caso do Tourette, o uso de medicação deveria ser permanente e constante. Procuramos terapias alternativas, mas o componente biológico desse transtorno é muito forte. Descobrimos que minha avó materna também sofria da doença.

Percebemos que era melhor para o Felipe tomar os medicamentos do que continuar com tiques que surgiam rapidamente e se tornavam mais complexos, afetando toda a vida dele. Ele chegou a desenvolver um em que tinha de encostar a cabeça na batata da perna, enquanto puxava as bochechas com as mãos. Hoje em dia vemos a coisa da seguinte forma: se cardíacos e hipertensos precisam tomar uma medicação constante para se manter em boas condições e até de forma preventiva, por que uma pessoa com um problema desses não pode usar medicamentos para o

> sistema nervoso da mesma maneira? A resposta a que chegamos — consultando a nós mesmos e observando outras pessoas — foi: preconceito e desinformação. Não há lógica em pensar que alterações no sistema nervoso que causam dificuldades de comportamento sejam mais vergonhosas do que doenças como pneumonia ou diabetes. Acho que todos nós temos características latentes que, em determinadas condições, nos farão reagir ao estresse de determinadas maneiras. E alguns são mais sensíveis do que outros... Então, que atire a primeira pedra quem nunca deu três toques na madeira para isolar!

É importante que os pais percebam em seus filhos o surgimento de sinais de TOC, ansiedade de separação ou mesmo Tourette o mais precocemente possível. Quanto mais cedo começar o tratamento, maiores são as chances de que esses transtornos entrem em remissão completa, ou seja, não restem sintomas residuais, com pouca chance de o problema voltar.

Quando se começa o tratamento do TOC na idade adulta, as marcas deixadas pelo transtorno podem ser tão insistentes quanto certas manchas de roupa, embora felizmente não seja esse o caso da maioria. No entanto, é certo que crianças que começam a tratar do transtorno desde cedo têm maior probabilidade de não apresentar recaídas, já que as melhoras propiciadas pela medicação e pela terapia cognitivo-comportamental (TCC) costumam se consolidar com maior facilidade em um cérebro em desenvolvimento. E, como disse Rosa, achar que esse tipo de remédio não se dá a crianças é na verdade um preconceito, pois os benefícios superam de longe os possíveis efeitos colaterais. Nesse caso, a família precisa pensar a longo prazo: livrar a criança de se tornar um adulto cheio de manias e com sérios prejuízos na vida.

Os familiares e afins do paciente com TOC são peças fundamentais no êxito do tratamento. Sem essa colaboração, o índice de sucesso no controle das obsessões (pensamentos intrusivos) e compulsões (manias) é bastante reduzido.

9
O DESAFIO DA PAZ EM CAMPO DE GUERRA: A DELICADA RELAÇÃO TOC x FAMÍLIA x AMIGOS E AFINS

As pessoas com TOC, na maioria absoluta dos casos, apresentam grandes dificuldades nas relações interpessoais, principalmente nas que envolvem uma convivência mais íntima e constante. Dessa forma, suas limitações nesse aspecto são mais observadas em situações afetivas, sociais, profissionais ou escolares, e familiares. Infelizmente, a concretização dessas dificuldades pode ocorrer na forma de perda de emprego, abandono escolar, ausência de vida social e lazer, rompimento de namoros, casamentos e amizades.

De todos os aspectos destacados, o que desperta maior apreensão é, sem dúvida, o que tange à convivência familiar de alguém que exibe um comportamento obsessivo-compulsivo. Em nenhum outro transtorno de saúde mental a família é tão envolvida como no TOC, e isso pode ocorrer de diversas maneiras:

- Ajuda ativa na realização de tarefas cotidianas, como limpeza dos ambientes e objetos do paciente;
- Preparo em separado de sua alimentação;
- Resposta a uma mesma pergunta feita uma dezena de vezes;
- Impossibilidade de utilizar determinados ambientes da casa em razão dos rituais do paciente, como banheiro (no caso dos rituais de higiene), quartos ou despensas (no caso de rituais de coleção). Nesses ambientes pode ocorrer um verdadeiro entulhamento de objetos inúteis — como jornais

e revistas velhas —, que não são permitidos de serem tocados por ninguém.

Dessa forma, gradativamente, sem que percebam, os familiares passam a ter uma vida limitada e transtornada pelas manias de quem tem TOC.

Um exemplo disso é o depoimento de dona Gilda, mãe de Alexandre, com 32 anos na ocasião do relato:

> Eu me lembro bem de quando começaram as manias do Xande. Ele havia completado 12 anos poucos meses antes. Meu marido e eu ficamos muito preocupados com aquele comportamento; afinal, nenhum de nós exigia que ele se mantivesse tão limpo assim. Eram quatro horas de banho e mais três horas limpando seu quarto, e, após a limpeza de seus pertences, ele voltava a tomar banho com sabonetes antissépticos e álcool.
>
> Procuramos vários médicos. Eles solicitavam exames que invariavelmente não apresentavam alterações. Meses depois já estávamos arrasados, nosso filho piorava dia após dia. Até chegar ao ponto de Xande não conseguir fazer nenhuma das suas atividades cotidianas sozinho: tomar banho, comer, ir à escola, sair de casa — as ações nunca se concluíam.
>
> Dava pena de ver nosso filho ali sofrendo e nós impotentes, sem saber o que fazer...

Esse sofrimento familiar quase sempre é vivido sem nenhuma informação nem orientação especializada, o que aumenta muito sua dimensão.

A família costuma agir de forma emocional e imediatista, na intenção de aliviar o sofrimento da pessoa com TOC e impedir complicações, ou seja, mais rituais. Assim, se toda vez que ouvir a palavra "aids" a pessoa reproduzir rituais compulsivos de desinfecção, a tendência dos familiares é evitar falar na doença ou qualquer situação que possa lembrar tal enfermidade, mesmo de forma indireta (ida a hospitais, doação de sangue etc.). Por outro lado, há momentos em que todos estarão cansados ou envolvidos em seus próprios problemas e não responderão às solicitações da pessoa com TOC, podendo inclusive ficar irritados ou reagir de maneira mais agressiva. Tudo acontecerá conforme as circunstâncias do momento e, principalmente, as condições emocionais de cada membro da família.

Essa ação familiar instável — ora cede e não briga, ora não cede e briga — infelizmente só propicia comportamentos obsessivo-compulsivos cada vez mais resistentes e persistentes. E, o pior de tudo, a família vai ficando exausta, desgastada e profundamente frustrada por ver que, apesar de todo o seu esforço em tentativas intuitivas de ajuda, a situação do paciente e de todos ao redor só se agrava a cada dia. Nesse momento, a família inteira sofre de um imenso desgaste físico e psicológico. Sentimentos contraditórios e dolorosos completam o cenário sombrio: desamparo, vergonha, pena, raiva, medo e frustração.

Sobre o sofrimento familiar, atentemos para o depoimento de Antônio, pai de Patrícia, com 23 anos à época do relato:

> Patrícia é minha caçula. Até os 19 anos sua vida e a nossa eram normais. Tínhamos nossos atritos como todos os pais têm com os filhos. A partir de seu ingresso na faculdade de Direito, ela começou a apresentar pavor de cheiro de urina. Cada vez que ia ao banheiro urinar, tomava um banho. Nós não podíamos mais pronunciar esse verbo nem palavras associativas como ureia, urinol, fralda etc. Que época terrível, meu Deus! Só quem convive com esse problema pode ter noção do sofrimento dos familiares. Hoje

Patrícia está sob tratamento medicamentoso e também faz terapia. Sua melhora é tão espantosa que em alguns momentos temos de lembrá-la de dar descarga no vaso sanitário! Mas disso não reclamamos. No fundo, ver nossa filha um pouco desleixada nos dá muita alegria.

As diversas formas de envolvimento familiar podem ser assim sintetizadas:

1. A família auxilia a pessoa a evitar situações que causem ansiedade, permite e propicia que ela realize seus rituais ou participa deles como coautora;
2. Responde às perguntas checadoras, realizando o reasseguramento com a intenção de tranquilizar a pessoa;
3. Assume responsabilidades pela pessoa. Os familiares fazem retiradas de dinheiro ou pagam suas contas, pois algumas pessoas com TOC não tocam em terminais de caixas eletrônicos nem em dinheiro. Podem também atender seus telefonemas, pois elas não pegam no telefone sem que o aparelho seja previamente desinfetado;
4. Realiza mudanças na estruturação física da casa: separa quartos ou partes de armários só para a pessoa, aumenta o número de banheiros na casa etc.;
5. Efetua mudanças nos hábitos cotidianos, como horário de dormir, preparo das refeições, tempo gasto nos hábitos de higiene, tipo de programação da TV e rádio etc.;
6. Estabelece mudanças no convívio social, deixando de sair para ajudar a pessoa na realização dos rituais;
7. Altera os horários de trabalho. Um familiar, por exemplo, troca de turno no trabalho para auxiliar o paciente com TOC na rotina ritualística;

8. Deixa de receber visitas em casa para evitar ansiedade, brigas ou constrangimentos.

É fundamental que se busque ajuda o mais rapidamente possível, para evitar que a relação família *versus* TOC chegue a estágios dramáticos em que ocorram brigas intensas, desespero, solidão e muita dor. Quanto mais cedo os pacientes e seus familiares forem atendidos por profissionais experientes e habituados ao TOC, mais eficaz será a resposta terapêutica. A precocidade do tratamento também é essencial para prevenir a depressão e o isolamento social, que quase sempre ocorrem nos indivíduos com o transtorno.

Muitas vezes, os próprios familiares se preocupam com a influência negativa que alguém com TOC pode exercer sobre quem ainda está desenvolvendo sua personalidade, como as crianças, por exemplo. A respeito disso declara Carlos, de 34 anos, marido de Raquel, de 29, e pai de Débora, de apenas 11 meses:

> Tudo começou após o nascimento de nossa única filha. A menina não pode chorar que a Raquel telefona para o pediatra achando que algo grave está acontecendo com o bebê. Várias vezes ela joga a comida da Debinha fora, pois acha que o cheiro não está bom. Toda noite ela vai diversas vezes até o berço da criança verificar se está coberta ou se está respirando. Eu sou pai, adoro minha filha, me preocupo, mas isso não pode ser normal. É muito exagero!
>
> Será que a Raquel não percebe que é só pensamento ruim? Tenho receio de que isso venha a prejudicar minha filha mais tarde.
>
> Espero que no futuro a Debinha não tenha mania de doença, como a mãe. Já basta uma na família...

A combinação de terapia medicamentosa e psicoterapia comportamental tem se mostrado bastante eficaz na redução e no controle do comportamento obsessivo-compulsivo. Essa psicoterapia consiste basicamente em expor o paciente gradativamente às situações ameaçadoras, geradoras de grande ansiedade. Com essa vivência, ela passa a acreditar que as consequências tão temidas pela não execução dos rituais não ocorrem de fato. É claro que, para o paciente, essa proposta soa como um convite para dançar valsa com o inimigo e depois, de quebra, dormir com ele. Essa reação é bastante compreensível, pois o desconforto sentido por quem sofre de TOC é imenso, e tudo o que ele mais quer na vida é fugir das coisas que deflagram a necessidade de efetuar atos compulsivos.

A implantação dos procedimentos psicoterapêuticos (exposição e prevenção de respostas) só é possível com a participação ativa de toda a família e das pessoas que tenham convivência mais íntima com os indivíduos com TOC. Isso ocorre graças ao próprio aspecto essencial dessa abordagem psicoterápica: ela necessita ser realizada de modo contínuo em todas as situações cotidianas do paciente, não podendo jamais ficar restrita às sessões com o terapeuta.

Por essa característica da abordagem comportamental, posso afirmar, sem nenhum tipo de exagero, que os familiares e afins do paciente com TOC são peças fundamentais no êxito do tratamento. Sem essa colaboração, o índice de sucesso no controle das obsessões (pensamentos intrusivos) e das compulsões (manias) é bastante reduzido. Ao convocar a família para essa árdua missão, não estou considerando, de forma alguma, que ela seja a responsável ou a causa dos sintomas do indivíduo com TOC. Não há nenhuma pesquisa que mostre que ações específicas de pessoas tenham causado o TOC ou pudessem tê-lo prevenido. Isso serve para maridos e esposas também. É necessário que esse aspecto fique muito claro, uma vez que sentimentos de culpa, raiva, rancor ou mágoa nunca colaboram para a melhora das pessoas.

Se você tem um familiar ou um amigo com TOC e está disposto a ajudá-lo de fato, saiba que sofredores do transtorno não conseguem simplesmente parar de realizar seus rituais. Isso de forma alguma significa que sejam fracos, impotentes, preguiçosos ou sem força de vontade. Você já deve ter ouvido falar de pessoas que pararam de fumar, de roer unhas ou de comer chocolate de uma hora para outra. As que sofrem de TOC, no entanto, têm pensamentos terríveis e ansiedades superpotentes nunca experimentadas por pessoas que não sofrem do transtorno. A diferença entre as pessoas que interrompem seus hábitos repentinamente e aquelas que têm TOC é que elas precisam fazer isso de maneira gradual e aceitável para si mesmas. Do contrário, poderão fracassar ou desistir de maneira irreversível.

Sobre isso, exemplifico com o caso de Gustavo, um menino muito introvertido, na época com 12 anos. Seus pais chegaram a mim contando ter certeza de que o filho perguntava dezenas de vezes pelo fechamento de gás, portas e janelas só para enlouquecê-los. E mais: achavam que ele poderia parar com aquelas "idiotices" de uma hora para a outra.

A primeira coisa que esses pais precisavam aprender, a fim de ajudar o filho, era que ele não conseguia controlar suas "idiotices" tão facilmente assim. Seu fracasso não dependia de sua vontade. Cientes disso, eles não só poderiam entender o comportamento do Gustavo, como também enxergar que não se tratava de mera teimosia.

Não importa quão estranho uma obsessão ou um ritual possa parecer para você, não faça com que as pessoas com TOC sintam que seus pensamentos e ações são "loucos" ou "perigosos". Em vez disso, coloque-se no lugar delas tentando imaginar como você se sentiria se contasse a alguém sobre pensamentos sexuais ou violentos que não conseguisse tirar da sua mente, mesmo que os achasse sem sentido. Pratique o que prega um velho ditado norte-americano: "Antes de julgar alguém, calce o sapato dessa pessoa, caminhe por uma milha, pare, reflita e depois faça seu julgamento".

A seguir, destaco algumas dicas para familiares e amigos de pessoas com TOC que podem restabelecer a paz em campo de guerra. Elas podem ser úteis a todos aqueles que estiverem dispostos a exercer o papel de *helpers* (ajudantes). Tais pessoas de convívio mais íntimo precisam ter consciência de que os rituais são sintomas do transtorno obsessivo-compulsivo, e a única maneira de auxiliar quem tem TOC em seu cotidiano é ajudá-lo a resistir a suas compulsões.

1. Apoie aquele que sofre de TOC quanto puder e sempre o elogie quando ele conseguir resistir aos rituais. Os pacientes afirmam que os elogios fazem toda a diferença, principalmente nas situações práticas mais difíceis.
2. Reconheça a realização — mesmo que parcial — de objetivos. Às vezes as pessoas com TOC não alcançam completamente o objetivo em determinada tarefa, a despeito de seus melhores esforços. A função do *helper* é animá-las, como neste exemplo de diálogo com um paciente com TOC:

   Tudo bem, você ficou sem checar o gás por duas horas e vinte minutos. Na próxima semana chegaremos às três horas desejadas. Seu progresso está sendo grande, na semana passada conseguimos duas horas. Vamos lá!

3. Responda de forma honesta e segura às perguntas razoáveis que o indivíduo que sofre de TOC lhe fizer, mas lembre-se

de responder só uma vez. Se mais tarde ele lhe fizer a mesma pergunta, use afirmações como "você já sabe a resposta" ou "não vamos falar mais nisso". Não alimente as obsessões. Alguns dos pacientes de TOC, em busca de confirmação para suas obsessões, costumam fazer perguntas como "Eu realmente desliguei o gás?", "Eu disse alguma coisa obscena sem saber?" ou "Tem certeza de que eu tranquei a porta?". Responda sempre de forma agradável mas firme, e então mude de assunto.

4. Tente, quando possível, exercer sua tarefa de impedi-lo de realizar os rituais de um jeito bem-humorado. Faça como Rui, casado com Valéria há dez anos. Ao tomar consciência da gravidade dos rituais de limpeza e higiene pessoal dela, se ofereceu para ser o seu *helper* durante três meses. Depois de um mês, eles haviam conseguido vitórias significativas. Valéria diminuiu o uso de xampus, sabonetes, álcool, detergentes e produtos antissépticos de tal maneira que Rui, em um momento em que os dois estavam fazendo os exercícios de resistir aos rituais, caiu em uma crise de riso. Valéria perguntou: "O que foi, Rui? Errei alguma coisa?". E ele respondeu: "Não, amor, é que em um mês eu pude ver que o que nós gastamos em produtos de limpeza nos daria um cruzeiro em Aruba de seis em seis meses e a gente podia ficar limpinho nas águas azuis do Caribe". E ela até conseguiu rir da situação. O humor deve ser usado de maneira sutil e carinhosa. Caso contrário, a pessoa poderá pensar que você está zombando dela ou de seus problemas.
5. Não faça críticas ásperas, do tipo "Qual é o seu problema? Você é muito fraco e preguiçoso, senão conseguiria fazer isso!". Críticas assim podem fazer com que ele desista do programa de exercícios antes mesmo de ver algum resultado.

6. Não entre em discussões durante a prática dos exercícios. Seu papel é ajudar quem sofre de TOC, e não discutir com ele. Se ele ficar com raiva de você durante uma sessão prática ou tentar discutir, lembre-o de que esse é o objetivo que vocês traçaram e concordaram em atingir juntos. Não tente convencê-lo de que suas obsessões estão erradas; ele sempre terá um argumento. Procure evitar cair nessa cilada.

Se, ao ler os itens anteriores, você pensou na possibilidade de ajudar efetivamente alguém com TOC, saiba que as qualidades mais importantes de um *helper* são conhecimento, compaixão, firmeza e paciência. Boa sorte nessa trajetória tão nobre quanto árdua de auxiliar alguém muito querido rumo a uma vida menos sofrida.

E se seu parente ou amigo se recusar a buscar tratamento ou negar que tem TOC?

Infelizmente, como essa é uma realidade que muitas famílias têm de enfrentar, achei por bem destacar esse assunto. Depois que você cria consciência de que o TOC é um transtorno que possui tratamento adequado e resultados eficazes, fica muito difícil aceitar a recusa daquele que sofre do problema em se tratar. Isso geralmente desencadeia sentimentos de desesperança e raiva nas pessoas mais próximas. No entanto, você não terá escolha a não ser seguir sua vida enquanto lembra o paciente periodicamente de sua disposição em ajudá-lo, de que tem consciência do desconforto e da vergonha que ele sente a respeito dos próprios pensamentos e ações, e de que existem pessoas especializadas que podem ajudá-lo por meio de um tratamento específico.

É óbvio que ver a pessoa que você ama sofrendo quando ela poderia ser ajudada é muito doloroso. Enquanto isso, você, seus parentes e amigos devem buscar apoio em associações de familiares de pacientes com TOC para reduzir seus sentimentos de desesperança e dividir suas angústias e frustrações. Encontre algumas dessas associações no fim do livro.

Para ajudar efetivamente uma pessoa com TOC, é necessário que ela mesma queira ser ajudada. Em outras palavras, se quem tem TOC não estiver motivado a controlar seus rituais, você não vai conseguir ter motivação por ele. A vontade é um sentimento intransferível, é preciso que venha de dentro de cada um de nós.

Em nenhum momento você deve deixar de seguir a orientação fundamental dada neste capítulo: *nunca ajude a pessoa que sofre de TOC a executar seus rituais*. É um direito dela não querer procurar tratamento, mas você deve deixar bem claro que não pode nem quer ser cúmplice na piora de seu problema.

Assim como podemos buscar
um bom condicionamento físico,
podemos nos esforçar por desenvolver
uma boa condição mental.

10
COGNIÇÃO, ORGANIZAÇÃO E TRANSFORMAÇÃO (COT)

Perguntaram a um TOC criança o que ele queria ser quando crescesse. Ele coçou a cabeça três vezes, franziu a testa três vezes e respondeu: "COT, com certeza COT!". E todos os adultos TOC responderam: "Ah, se nós soubéssemos disso antes...".

Com essa fábula improvisada, começa-se a delinear o que considero um resultado bem-sucedido de um tratamento para TOC. É necessário ter em mente que existe uma diferença muito grande entre o que *se deseja ser* e o que *se é*.

Como se sabe, algumas das características mais marcantes das pessoas com TOC são o senso de responsabilidade exagerado, o remoer-se de dúvidas incessantes, o excesso de zelo e a busca por uma perfeição inatingível. No entanto, como visto, todas elas estão hiperfuncionantes e em desequilíbrio, a ponto de gerar intenso sofrimento. Na realidade, o que o indivíduo com TOC almeja é uma condição mental que o permita ter organização, análise aguda e brilhante, capricho, responsabilidade, poder de realização e ação transmutadora de ideias em concretude. Para tais características — tão cobiçadas até mesmo pelas pessoas livres de quaisquer desejos de perfeição —, criei a sigla COT.

Mas o que vem a ser exatamente essa proposta de "inversão" de sigla de TOC para COT? É a condição mental caracterizada pelo pensamento analítico (Cognição), pela capacidade de sistematização e definição de objetivos (Organização) e pela realização bem-sucedida (Transformação). Portanto, COT é cognição, organização e transformação: capacidades com que sonham até mesmo os mais descolados de nossa sociedade. Ser COT é ter o poder de traçar metas, rastrear seus passos necessários e chegar ao final do caminho com o objetivo cumprido, sentindo-se orgulhoso e em paz.

Antes de qualquer coisa, gostaria de definir o que é condição mental. Para isso, uma boa comparação são os praticantes de esporte. Quem frequenta uma academia de ginástica sabe que algumas pessoas possuem uma estrutura que as favorece a ganhar massa muscular e condicionamento. Não obstante, mesmo as que não possuem essa característica podem condicionar-se e ganhar massa muscular por meio de um trabalho sério, constante e perseverante com seu programa de exercícios. Entre os esportistas, também percebemos que alguns parecem especialmente aptos a determinadas modalidades, por sua grande resistência e sua capacidade respiratória, seu raciocínio espacial e outras habilidades. Entretanto, muitos treinos, boa vontade, perseverança, incentivo e uma série de outros apoios podem transformar pessoas frágeis e com pouco condicionamento em pessoas aptas a fazer a diferença.

Na área esportiva existem muitas histórias de superação, perseverança, disciplina e sacrifício. Na área do comportamento e da mente há também inúmeros casos de luta e fé, como os dos dependentes que lutam para se livrar do álcool e das drogas, dos deprimidos que brigam contra a desesperança e dos fóbicos que enfrentam seus medos. Essas histórias são pouco conhecidas e divulgadas, mas ocorrem diariamente com pessoas comuns, como eu e você.

Assim como podemos buscar um bom condicionamento físico, podemos nos esforçar por desenvolver uma boa condição mental, com pensamentos e sentimentos em equilíbrio, traduzidos em comportamentos eficazes e sensação de paz interior. Com base em experiência e observação, pude constatar que uma das formas de boa condição mental é aquela que denominei

COT. Como nos exemplos citados, percebi que algumas pessoas parecem ter propensão ou até maior facilidade para atingir essa condição mental. Mas, ainda assim, autodisciplina, vontade e mudanças no estilo de vida podem levar pessoas sem essa propensão a transformar-se em COT.

Ao observar vários pacientes com TOC, percebo que, muitas vezes, debaixo do lixo mental acumulado está a possibilidade de desenvolvimento para a condição mental COT. Tolhida, diminuída em seu potencial de organização e realização, mas presente. Observo em boa parte dos casos que as pessoas que sofrem de TOC tinham como ideal, ainda que inconscientemente, ser COT: organizadas, objetivas e práticas.

Infelizmente esse desejo acaba naufragando em intensa ansiedade, pois pessoas com TOC possuem fragilidades em sua estrutura mental e biológica. O que era desejo de organização torna-se intolerância às mudanças, o cuidado transforma-se em checagens repetidas, o gosto pelo asseio vira intenso asco por coisas e pessoas, o anseio de fazer bem-feito degenera-se em perfeccionismo irreal e procrastinação. Mas fragilidade não significa impossibilidade. Uma pessoa com TOC pode e deve encarar o caminho turbulento com paciência e perseverança, para reestruturar-se e atingir a tão sonhada condição mental COT.

Dito isso, gostaria de descrever as características das pessoas que tenho observado e denominado sob a sigla COT. Indivíduos com essa condição mental são muito importantes em cargos de liderança, supervisão e consultoria. São aqueles que enxergam o que precisa ser realizado a longo prazo e agem com presteza em prazos apertados, traçando rotas em caminhos confusos.

No passado, é possível que tenham sido os indivíduos COT que lançaram a base da civilização, assentando grupos humanos em comunidades ordenadas que passaram então de clãs nômades para um conjunto de pessoas organizadas. Por meio da observação e da descoberta dos segredos da natureza puderam adaptá-la às necessidades humanas, na forma de divisão de tarefas, agricultura, pecuária, aperfeiçoamento de meios de comunicação e de transporte, e realização de grandes conquistas. O ser humano jamais poderia engendrar grandes civilizações se fosse apenas orientado pela visão estreita do curto prazo e da sobrevivência imediata. Somente os indivíduos COT são capacitados para construir e aperfeiçoar essa complexidade e funcionalidade. Instituições como governos, religiões ou sistemas de justiça, lei e ordem são a expressão concreta e, em grande escala, do poder de realização de quem é COT.

A seguir, algumas capacidades presentes em pessoas que atingiram essa condição mental:

1. Objetividade e praticidade

Se um COT precisa realizar determinada tarefa, ele estabelece os passos para fazê-lo de forma encadeada e estruturada. *Como*, *quando*, *onde* e *por que* são questões que se apresentam ao indivíduo COT, que tenta respondê-las da maneira mais objetiva possível. Imagine que alguém tenha tido uma ideia brilhante mas não consiga fazê-la sair do plano abstrato: esta é a hora para alguém de condição mental COT aparecer e transformar a ideia em realidade. Sabemos que o caminho mais curto entre dois pontos é uma linha reta, mas nem todos se mantêm firmes no trajeto, distraindo-se com isso ou aquilo. Não é o caso dos COT. Se existirem duas maneiras de resolver um problema, o COT optará pela mais simples. Em ciência, considera-se que quanto mais simples for uma teoria, melhor ela é (critério da parcimônia). Os COT usam esse critério para o cotidiano, instintivamente.

2. Detalhamento

Por exemplo: um COT passa os olhos por um texto e encontra possíveis erros rapidamente. A pessoa que escreveu o texto, não sendo COT, pode se perguntar: "Mas como não enxerguei isso antes?". Assim como encontram falhas, os COT percebem também pontos fortes onde ninguém estava prestando atenção.

3. Capricho

O COT debruça-se sobre uma questão ou uma dúvida com afinco, como o médico que pesquisa sobre uma doença rara com a qual nunca havia se deparado, tornando-se, por fim, um grande conhecedor do assunto.

4. Persistência

Mesmo em meio a contratempos e frustrações, um COT insistirá em seus projetos, desde que vislumbre uma maneira de solucionar os problemas. É um tipo de característica importante para cientistas e pesquisadores, que às vezes se empenham anos a fio nos laboratórios até finalmente conseguir resultados.

5. Sensatez emocional

Não espere arroubos de entusiasmo desmedido ou crises de desespero por parte de um COT. Na vitória, ele mantém a calma, a humildade e um discreto contentamento. Na derrota, ele repassa os erros até então despercebidos e aprende com eles.

6. Senso crítico

Um COT não costuma fazer críticas chatas e ranzinzas; em vez disso, tem uma visão lúcida e racional dos acontecimentos.

7. Liderança com responsabilidade

Onde muitos podem vagar como baratas tontas ou ter receio de assumir responsabilidades, o COT acabará tomando para si o papel de líder mesmo sentindo ansiedade, pois é necessário ocupar esse lugar. A pessoa COT é aquela a quem os outros recorrem quando estão em dúvida, não sabem o que fazer, nem como resolver um problema. Em um grupo, ela acaba tendo uma ascendência ou papel de liderança, mesmo informal. Muitas vezes, é na hora do aperto que o COT deixa de lado a postura discreta para pôr ordem nas coisas, simplesmente porque ele sabe que é necessário.

No livro *Síndromes silenciosas*, o psiquiatra norte-americano John Ratey descreve um tipo brando de TOC, em que a principal característica seria a extrema sensibilidade a fatores sociais e de relacionamento. Para aquele que tem apenas traços muito leves de TOC, as preocupações persistentes seriam cometer gafes, sentir-se exposto e ridicularizado ou ofender e magoar inadvertidamente alguém. Ratey afirma que essa pessoa é o modelo-padrão de bom cidadão, esteio da sociedade e da civilização. Se pensarmos bem, é disso que mais precisamos nesses tempos marcados por egoísmo desmedido, vantagens a qualquer custo, irresponsabilidade disseminada e desconfiança generalizada entre as pessoas.

COT e TOC guardam em comum características como perfeccionismo, responsabilidade e senso de dever. Mas aquilo que na condição mental COT é poder de ação e transformação, no

TOC é desperdício de energia física e mental, gastas numa série de rituais que resultam num grande emaranhado de coisa alguma.

Acredito que boa parte das pessoas que sofrem de TOC guarde dentro de si — soterradas pelo transtorno — possibilidades de desenvolver a condição mental COT. E é com esse fim que procuro direcionar o tratamento dos pacientes obsessivos. Transformar gasto inútil de energia em desejo de realização; rituais sistemáticos em capacidade de planejamento e organização; pensamentos obsessivos em pensamento analítico e estruturador de ideias; repetição de comportamentos em perseverança e firmeza nas coisas que realmente precisam ser feitas.

Enfim, transformar desconforto em conforto. Não vida em vida. Infelicidade em busca legítima pela felicidade.

Todos temos pequenos hábitos excêntricos e inofensivos, que não chegam a nos paralisar. Enxergá-los em nós mesmos também nos ajuda a ter um pouco mais de compreensão com quem realmente sofre de TOC.

11
AS PEQUENAS MANIAS NOSSAS DE CADA DIA

Se nos sentarmos a uma mesa de bar com os amigos e o assunto de pequenas manias surgir, logo se perceberá que quase todo mundo tem ou já teve uma maniazinha. E isso costuma ser motivo de riso e brincadeiras, já que essas pequenas esquisitices que quase todos temos — ou já tivemos — não nos causam prejuízo algum.

Como abordado no capítulo 8, grande parte das crianças passa por uma fase em que tem lá suas manias e pequenos rituais para dar sorte ou evitar azares. Quando nos lembramos disso, damos até boas risadas. O fato de esse acontecimento ser tão frequente nas crianças (como o medo do escuro) nos faz pensar que atravessar um momento de "ritualizaçõezinhas" é algo característico do ser humano. Talvez seja um período de treino pelo qual devemos passar para desenvolver nosso sistema de detecção de erros e previsão de riscos.

As superstições, por exemplo, poderiam ser nossas pequenas manias institucionalizadas e propagadas pela cultura. É um tal de bater três vezes na madeira, fugir de gato preto, não passar debaixo de escadas, esperar sete anos de azar se um espelho se quebrar e procurar os raros trevos-de-quatro-folhas. Podemos ver ainda que a cultura popular das simpatias está carregada de significados numéricos e ritualísticos, como recitar três vezes determinada reza em nove luas cheias seguidas para conseguir realizar determinado desejo, e por aí vai. Os exemplos são inúmeros, e quase todo mundo já fez algo assim.

É como se tivéssemos necessidade disso, e talvez seja realmente uma tendência nossa.

Longe de nos assustarmos com isso e imaginarmos que temos TOC, devemos pensar que temos essa função mental equilibrada e em bom funcionamento, que não requer tratamento. Nunca é demais lembrar: no TOC, rituais e obsessões estão fora de controle, a ponto de trazer prejuízos à vida da pessoa, fazê-la perder horas do dia e acabar vivendo em função da doença.

Assim, depois de deixar bem clara a distinção entre o que é ter TOC e o que é ter uma maniazinha ou superstições, convido você a fazer um interessante passeio em que buscaremos sinais disso em personagens de novelas, desenhos, seriados de TV e filmes. Provavelmente essa foi uma das formas que a indústria de entretenimento encontrou de acharmos graça de nós mesmos.

Quem acompanhou os quadrinhos do Tio Patinhas sabe que ele conta e reconta toda a sua fortuna de vez em quando. Quem for um pouco mais velho lembrará de nosso Patinhas brasileiro, o infame Nonô Correia, personagem de Ary Fontoura na novela *Amor com amor se paga*, da saudosa Ivani Ribeiro. Nonô não só controlava tudo dentro de casa, como se trancava em um cômodo para checar seu dinheiro e suas joias de forma sistemática.

Caminho das Índias, novela de Gloria Perez, também deixou sua marca com o formidável Doutor Castanho, personagem vivido pelo talentoso ator Stênio Garcia. Esse humano e excêntrico psiquiatra incorporou algumas manias para se aproximar dos seus pacientes esquizofrênicos. Ele só conseguia entrar na sala de sua clínica pulando o tapete junto à soleira da porta. Ninguém o convencia do contrário.

E o que podemos dizer sobre a emblemática Branca de Neve? Depois de ter sido quase assassinada e ter vagado perdida e exausta pela floresta, ao encontrar abrigo na casa dos anõezinhos, resolveu primeiro arrumar a bagunça que encontrou e só depois se permitiu tirar uma soneca. Não é esquisito isso?

Branca só perde para Penélope Charmosa, do desenho *Corrida maluca*, que não suportava ver um fiozinho de sua bem penteada cabeleira fora do lugar. Ela parava tudo para se arrumar e ainda retocava a maquiagem. Sempre começava na primeira colocação, mas perdia a corrida por esses "detalhes". Sem contar que era também a responsável pelos engavetamentos-monstro da corrida, pois qualquer sujeirinha que percebesse em seu macacão era motivo para uma freada brusca e, consequentemente, uma série de colisões estrondosas.

Para quem tem mania de querer comer sempre a mesma coisa, lá está seu representante, o faminto Coiote, cujo maior objetivo na vida é comer o esperto Papa-Léguas.

Não se pode esquecer da superprodução de animação *Procurando Nemo*, em que se viam personagens cheios de esquisitices. Entre os integrantes da turminha do aquário, havia um peixe com medo extremo de germes, outro obcecado por bolhas e um camarão compulsivo por limpeza. Cenas cômicas e inesquecíveis.

E a simpática girafa hipocondríaca Melman, que não tirava o termômetro da boca no filme *Madagascar*? Ela preferia ficar no zoológico de Nova York — onde contava com visitas regulares de médicos e acesso à medicina mais moderna — a se aventurar pela selva com seus amigos. Melman é responsável pelas cenas mais engraçadas do filme.

Não poderia deixar de citar a impagável série de TV norte-americana *Monk*. Mais do que ter algumas maniazinhas, o protagonista Adrian Monk, um detetive de homicídios brilhante, sofre de TOC. Comportamentos como limpar a escova de dente com água fervendo, vaporizar as paredes da casa, chamar o elevador com o cotovelo, não apertar a mão das pessoas e tantas outras compulsões de checagem, limpeza e organização fazem parte da rotina desse investigador detalhista.

E, para não dizer que não tivemos uma série de TV brasileira em que os personagens eram sistemáticos, é só lembrar as cenas hilárias que Rui (Luiz Fernando Guimarães) e Vani (Fernanda Torres) viveram em *Os normais*. Certa vez, num motel, o casal relutou em usar o telefone, que poderia estar cheio de bactérias. Eles entraram na banheira de hidromassagem e logo pensaram que ela poderia estar contaminada. Saíram da banheira e foram para a ducha. Ao se secarem, acharam que as toalhas também poderiam estar lotadas de germes. Pronto, voltaram para a ducha. Em outro episódio, Vani ficou com nojo da água da piscina e Rui, do lava-pé. E aquelas perguntazinhas infames do tipo "um produto fica podre na data de validade ou no dia seguinte?", "se no nariz não nasce ruga, por que a cara toda não foi feita com a pele do nariz?". Quando Rui se recusou a beijar Vani ao acordar, ela, inconformada, perguntou: "Você tem nojo de me beijar, Rui?". E ele respondeu: "Tenho nojo, não, meu amor. Está provado cientificamente que o beijo transmite 4 milhões de bactérias bucais". Em meio a muitas trapalhadas, a série foi um grande sucesso de audiência e mais tarde foi adaptada para o cinema.

Além do filme *Melhor é impossível*, citado no capítulo 4, outras produções de Hollywood também tratam o TOC com bom humor. Em *Os vigaristas*, Roy (Nicolas Cages) é um vigarista obsessivo-compulsivo, com tiques e gagueiras incontroláveis. Tem mania de limpeza, fecha portas e janelas várias vezes e não vive sem suas pílulas. Seus armários são impecavelmente organizados, e basta ver uma sujeirinha no carpete que ele logo se dispõe a limpar a casa inteira, polindo móveis e janelas.

Saindo da ficção e voltando à vida real, também podemos lembrar alguns exemplos de pessoas famosas e importantes que tinham ou ainda têm algumas manias ou até mesmo TOC.

O perfeccionismo do grande cientista Charles Darwin, por exemplo, ganhou fama. Sua história mostra que ele adiou por muitos anos a publicação de *A origem das espécies* por escrever e reescrever os textos incontáveis vezes, até ter a sensação de estarem totalmente corretos. Apenas quando soube que um jovem pesquisador chegara a conclusões idênticas às suas, Darwin apressou-se em tornar pública sua obra revolucionária.

Essa característica também é conhecida entre os fãs do idolatrado escritor britânico J. R. R. Tolkien, autor da obra *O Senhor dos Anéis,* que inspirou a trilogia cinematográfica premiada com dezessete Oscars e sucesso de bilheteria em todo o mundo. Contudo, o perfeccionismo de Tolkien não permitiu que ele concretizasse o seu mais ambicioso e acalentado trabalho, *O Silmarillion.* O autor nutriu uma fixação por escrevê-lo, reescrevê-lo, modificá-lo e refiná-lo por anos a fio. A obra não foi concluída em virtude de seu falecimento, embora tenha sido publicada postumamente por seu filho Christopher.

Howard Hughes, norte-americano bilionário, se tornou um dos maiores empresários da indústria da aviação e do cinema que o mundo já conheceu. Sua vida foi retratada no filme *O aviador,* de Martin Scorsese, vencedor de vários Oscars. O protagonista foi interpretado pelo ator Leonardo DiCaprio. Hughes, desde a infância, apresentava preocupação com contaminação por micróbios e doenças. Com manias de perfeição, higiene e limpeza, o empresário chegou a desenvolver vários rituais, como lavar as mãos até sangrar ou evitar objetos, pessoas e situações que pudessem ser ameaçadores para sua saúde. Hughes desenvolveu um TOC grave, uma vez que na época nada se sabia sobre o transtorno. A enfermidade o fez abandonar prematuramente a indústria cinematográfica e de aviação e foi motivo de extremo sofrimento até o fim de sua vida.

Jacqueline Kennedy, uma das mais amadas primeiras-damas da história dos Estados Unidos, mostrou ser uma mulher inteligente, elegante, caprichosa e perfeccionista. Segundo David Heymann, autor de *Uma mulher chamada Jackie*, a senhora Kennedy, na Casa Branca, fazia questão de que as roupas de cama fossem substituídas após o sono da tarde e as toalhas, trocadas três vezes ao dia. Jackie também ficou conhecida por ter sido uma compradora compulsiva, gastar fortunas em decoração e por sua obsessão por privacidade.

O cineasta norte-americano Woody Allen, tão admirado quanto polêmico, confessa ter verdadeira obsessão pela morte e se obrigar a cumprir algumas compulsões mentais por dia só para afastar esses pensamentos da cabeça. Sobre isso, ele declara com bom humor: "Não é que tenha medo de morrer, só não quero estar lá quando isso acontecer". Woody também já passou por sua fase de Coiote. Em uma de suas estadas na França, durante seis meses comeu o mesmo prato, sempre no mesmo restaurante. Ele também se preocupa bastante em encontrar um título "certo" para seus filmes, com um final "perfeito", além de se recusar terminantemente a vê-los depois de prontos, pois acredita que acabará encontrando várias cenas que poderiam ter sido melhoradas.

Entre as estrelas de Hollywood, a bela Cameron Diaz, protagonista de *Quem vai ficar com Mary?*, *O amor não tira férias* e *Uma prova de amor*, admitiu publicamente apresentar o transtorno obsessivo-compulsivo. Pelo medo de contaminação, ela costuma empurrar as portas com os cotovelos, para não precisar tocar nas maçanetas. Depois, ela as limpa de tal maneira que a pintura chega a desaparecer. Em 10 de maio de 2007, a atriz norte-americana revelou a Jay Leno, apresentador do programa *The Tonight Show*, que lava as mãos muitas vezes ao dia e já fez muitos progressos no tratamento: "Eu acho que fiz as pazes com o TOC".[1]

De acordo com o jornal inglês *Daily Express*, de 3 de abril de 2006, o jogador-estrela de futebol David Beckham confessou que sofre de TOC e mania de simetria: "Tenho esse transtorno que faz com que eu precise colocar tudo em linha reta ou em pares. Coloco as latas de refrigerante na geladeira e, se o número for ímpar, tiro uma e coloco no armário". Beckham também explicou que já tentou se livrar dessa mania, mas não conseguiu: "Em um quarto de hotel, antes de relaxar, tenho de pôr todas as revistas e livros em uma gaveta. Tudo deve estar impecável". O jogador era alvo de brincadeiras dos colegas de gramado do Manchester United, que conheciam suas manias e, por causa disso, bagunçavam suas roupas, revistas e sapatos.

A atriz e modelo norte-americana Megan Fox, estrela do filme *Transformers*, também declarou seu pavor de contaminação e disse que, por causa disso, tem dificuldades de frequentar restaurantes: "Colocar na minha boca um garfo que já esteve em milhões de outras bocas, quando sei a quantidade de bactérias que trazemos na saliva? Eca!". A atriz ainda contou que não usa banheiros públicos: "Toda vez que alguém dá descarga, milhões de bactérias são lançadas no ar". "Isso é uma doença, eu sou uma pessoa doente", complementou.[2]

A ex-modelo, atriz e produtora Charlize Theron, ganhadora do Oscar de melhor atriz com o filme *Monster*, é bonita, bem-sucedida e com milhões no banco. Mas ela também admitiu sofrer

---

1. Disponível em: http://abcnews.go.com/Entertainment/celebrities-obsessive-compulsive-disorders-hollywood-stars-ocd/story?id=10689626&page=3. Acesso em 5 de dezembro de 2016.
2. Revista *Veja*, ed. 2166, 26 de maio de 2010.

de transtorno obsessivo-compulsivo. "Tenho um problema com armários desorganizados. As pessoas empurram as coisas para dentro e fecham a porta. Quando estou deitada na cama, não consigo dormir porque penso ter visto algo que não deveria estar no armário."[3]

Assim, podemos ver que todos temos pequenas esquisitices que, muitas vezes, são motivo de risadas, desde que não nos paralisem nem nos façam sofrer. Se assim não fosse, não riríamos tanto de personagens que retratam justamente essas características, pois afinal estamos rindo um pouquinho de nós mesmos. Enxergá-las entre ricos e famosos também nos chama a atenção porque, além de nos identificarmos um pouco com eles, percebemos que por trás de todo aquele glamour existem características bem mundanas e compartilhadas por todos os seres humanos, milionários ou pobres, célebres ou anônimos.

Experimente só: lance esse assunto em uma rodinha de amigos. Logo todo mundo estará lembrando algumas esquisitices de criança ou superstições que, em determinadas fases da vida, foram muito importantes e frequentes. De certa forma, isso nos ajuda a ter um pouco mais de compreensão com aquele conhecido ou parente que realmente sofre de TOC. E compreensão é uma das coisas de que ele mais necessita, além de nosso apoio e muito carinho.

---

3. Disponível em: http://www.dailymail.co.uk/tvshowbiz/article-1216400/Charlize-Theron-admits-Im-closet-obsessive.html. De 27 de setembro de 2009. Acesso em 5 de dezembro de 2016.

Se há TOC, há sofrimento; caso contrário não seria TOC. Por isso, podemos afirmar que todo indivíduo com TOC deve ser tratado.

12

TRATAMENTO POR MERECIMENTO: OS MEDICAMENTOS E OUTRAS TÉCNICAS NEUROFUNCIONAIS QUE AJUDAM NO TOC

Todas as cartas de amor são
Ridículas
Não seriam cartas de amor se não fossem
Ridículas
[...]
As cartas de amor, se há amor,
têm de ser
ridículas.
Fernando Pessoa

Você talvez esteja se perguntando o que um poema de amor de Fernando Pessoa tem a ver com o tratamento do TOC. Explico. Aqui pretendo discorrer sobre o conceito de tratar as alterações do comportamento e como isso se aplica ao transtorno obsessivo-compulsivo. De maneira simples e objetiva, apresentar as ferramentas que a medicina e a psicologia disponibilizam em parceria para ajudar as pessoas com TOC a atingir um estado de conforto essencial. Ou seja, possibilitar que o paciente alcance a condição mental COT (cognição, organização e transformação), vista no capítulo 10, de forma produtiva e estruturadora.

Em relação ao conceito de tratamento — pelo menos no que tange às alterações do comportamento humano —, precisamos ter em mente que só devemos tratar aquilo que traz incômodo ou desconforto para o indivíduo ou para o meio social no qual ele estabelece suas relações. Assim, na maioria dos casos em que as pessoas relatam ter um comportamento diferente, elas mesmas terão condições de avaliar em conjunto com seu médico psiquiatra o grau de sofrimento e prejuízos que isso causa em sua vida acadêmica, profissional, afetiva e/ou social. Além disso, é preciso considerar suas reais chances de vencer tais limitações sem ajuda profissional.

Agora podemos voltar à poesia de Fernando Pessoa. Vamos fazer um rápido exercício mental com ela e substituir "cartas de amor" por "pessoas com TOC" e a palavra "ridículas" por "sofridas". Pronto, aí está a descrição exata da pessoa com TOC. Ela muitas vezes se sente ridícula, e isso dói e a faz sofrer muito. Logo, se há TOC, há sofrimento, caso contrário não seria TOC. Por isso, podemos afirmar que todo indivíduo com TOC deve ser tratado. Ele pode até não querer, é um direito dele. No entanto, ele não só deve como merece receber tratamento, a fim de usufruir de uma vida em que a dor e o sofrimento sejam exceções, e não regras a serem seguidas dia após dia.

Espero que o poema no início do capítulo nos tenha feito lembrar que ajudar alguém a diminuir seu sofrimento também é um ato de amor, e por conta disso às vezes fazemos coisas ridículas.

O tratamento do TOC conta com excelente parceria: o uso da medicação e a terapia cognitivo-comportamental (TCC). Conhecendo a utilização e os resultados dessa dupla, podemos entender de que forma se completam. Sendo assim, tentarei nesta seção desfazer algumas lendas e mitos no que tange às medicações. No capítulo seguinte será abordada a terapia cognitivo-comportamental, concluindo minha proposta de ajuda.

Durante toda a minha prática médica, deparei sempre com uma questão bastante delicada na relação médico-paciente: o termo "remédio". É incrível a reação que essa palavra causa nas pessoas. Muitas delas, quando o médico fala da necessidade de prescrevê-lo, arregalam os olhos, franzem a testa e as sobrancelhas, e o encaram com uma postura nítida de quem foi extremamente ofendido. Outras abrem um sorriso largo, olham-no com ar de ternura e transmitem um sentimento quase infantil de que o médico finalmente vai lhes dar o espinafre do Popeye. Apenas uma minoria dos pacientes adota uma atitude de interesse, questionamento sério e coparticipação ativa nas escolhas mais adequadas e eficazes para o seu problema.

Em medicina, como na vida, nada é perfeito. Tudo — absolutamente tudo — tem seus aspectos positivos e seus aspectos negativos. Buscar o equilíbrio é tentar manter os pratos dessa balança o mais alinhados possível. A cada escolha, ganhamos coisas e perdemos outras tantas. São as perdas e os ganhos nossos de cada dia, como bem disse a escritora Lya Luft.

Outro aspecto relacionado à palavra "remédio" que causa muita confusão é a questão da sua origem. Certa vez participei de um debate com diversos profissionais liberais, e, em determinada hora da discussão, uma pessoa virou-se para mim e, em tom de discurso, pronunciou: "Vocês, médicos — e em especial os psiquiatras —, têm a mania de passar remédios para todo mundo. Vocês deveriam passar remédios naturais, que além de baratos não têm efeitos colaterais...".

Confesso que minha reação foi tentar entender o que ela estava dizendo, já que remédio é remédio em qualquer canto e a origem também é a mesma: a natureza. Oras bolas, de onde vem a matéria-prima para fazer tudo o que existe neste planeta, inclusive seu solvente maior, a água? Da natureza, é claro. A diferença está no processo de fabricação, ou seja, se o remédio tem sua matéria-prima industrializada ou não. Isso é bem simples. Basta lembrar que veneno de cobra é natural e mata; cicuta é natural e mata; potássio é ótimo, mas em excesso mata; sol é ótimo, mas exposição demais desidrata, causa queimaduras sérias e, a longo prazo, até câncer de pele.

E o que isso tem a ver com o tratamento medicamentoso do transtorno obsessivo-compulsivo? Tudo. Não só com o tratamento do TOC, mas com qualquer medicação proposta. A questão não está em tomar remédio, e sim no que você ganha com isso em qualidade de vida cotidiana e como esse ganho é equacionado na balança de vantagens e desvantagens. Tudo na vida depende de nossas escolhas, e são elas que nos fazem confortáveis ou não.

Recebo muitos e-mails e mensagens diariamente e noto que grande parte das pessoas faz afirmações sem fundamento sobre determinados medicamentos. Falam muito sobre medo de dependência, de deixar de ser quem são, de apresentar todos os efeitos colaterais da bula e até mesmo medo de morrer. O mais inusitado é que as pessoas têm medo das medicações que em geral são mais seguras, como as de tarja vermelha, por exemplo. Estas não provocam dependência, porém muitos pacientes interrompem o tratamento antes do tempo necessário por temerem se tornar dependentes químicos. No entanto, os remédios de tarja preta continuam sendo largamente consumidos, grande parte das vezes sem prescrição médica. Em geral, é a vizinha ou um parente que costuma indicar o tal calmantezinho leve. São esses remédios que comprovadamente desencadeiam dependência quando usados sem o devido acompanhamento médico.

As dúvidas sobre medicações também são recordistas de audiência em palestras e cursos que realizo. E o mais interessante é que, não importa a cidade nem o público, essas dúvidas estão sempre presentes. Talvez isso seja reflexo de nossa incapacidade de fornecer informação técnica de conteúdo científico preciso em linguagem acessível a uma população que explicitamente tem sede e não sabe bem de qual água, em que quantidade e por quanto tempo deve beber.

Em função de tudo o que relatei, resolvi fazer o capítulo sobre tratamento medicamentoso com um formato diferente. Apresentarei uma série de perguntas e respostas que — a meu ver — podem facilitar o entendimento de um assunto que tende a ser técnico demais e, por isso, até mesmo chato.

Espero ainda que a leitura a seguir possa trazer respostas quase imediatas a alguns leitores, simulando um pequeno bate-papo como os que ocorrem ao fim das palestras. Agora é só conferir e ver se a intenção deu certo.

Perguntas e respostas sobre o tratamento medicamentoso do TOC

1. Quais são os remédios utilizados no tratamento do TOC?

A maioria dos medicamentos que se mostram eficazes no TOC é classificada como "antidepressivo". É importante notar que o paciente com TOC geralmente apresenta um quadro de depressão devido à incapacitação produzida pelos rituais. Assim, os médicos podem tratar tanto do TOC quanto da depressão com os mesmos medicamentos.

2. Existe alguma diferença no tratamento de casos graves?

Sim. Apesar de os pacientes, em sua grande maioria, responderem positivamente aos antidepressivos, cerca de 5% dos casos de TOC que atendo em meu consultório são graves e não apresentam respostas satisfatórias ao tratamento convencional. Identificamos como graves casos em que os pacientes apresentam sintomas muito intensos, frequentes, incapacitantes e que são resistentes ao tratamento. Outro fator que determina a gravidade do quadro clínico é a presença de sintomas como delírios e alucinações relacionadas às suas obsessões. Delírios são ideias ou pensamentos distorcidos, que não correspondem à realidade. Um exemplo comum no TOC são os delírios de contaminação, em que o paciente se sente sujo o tempo todo e acredita que os germes estão invadindo a sua casa ou tomando conta de seu corpo. Ou seja, ele acredita piamente que corre sério risco de adoecer ou até morrer. Justamente por ser um medo irreal e exagerado, consideramos tais crenças um delírio. As alucinações já são mais raras em pacientes com TOC. Elas representam percepções sensoriais (relacionadas aos nossos cinco sentidos) de situações que não existem, tais como ouvir vozes, ver objetos ou sentir coisas sem que elas sejam reais.

Nestes últimos casos, lançamos mão dos antipsicóticos, também chamados de neurolépticos, que são medicamentos cuja finalidade terapêutica principal é de agir sobre os receptores da dopamina. Em minha prática clínica, os mais utilizados para casos como esses são risperidona, paliperidona, pimozida e olanzapina. É importante ressaltar que tais quadros clínicos são verdadeiros desafios, que me estimulam na busca incessante por métodos terapêuticos que possam trazer algum tipo de benefício e alívio para o sofrimento desses pacientes. Tais métodos serão discutidos na questão 20 deste capítulo.

3. Todos os antidepressivos são eficazes para tratar o TOC?

Negativo! Alguns antidepressivos usados para tratar a depressão não têm efeito sobre os sintomas do TOC. Medicamentos como a imipramina ou a amitriptilina, que são bons antidepressivos, raramente melhoram as obsessões e os rituais.

4. Quais os antidepressivos mais usados contra o TOC e como saber se são eficazes?

Sete medicamentos tiveram sua eficácia cientificamente comprovada em estudos duplo-cego.[1] Nesse tipo de pesquisa, pega-se um grupo grande de voluntários portadores de TOC: metade deles recebe uma medicação de fato; a outra metade, apenas placebo (uma pílula de açúcar ou farinha, sem nenhum efeito). Os estudos duplo-cego fornecem uma avaliação imparcial e precisa da eficiência de cada medicação testada. Isso porque, durante sua realização, nem os médicos nem os pacientes sabem quem de fato está recebendo o remédio e quem está tomando apenas uma pílula inativa. Somente o pesquisador tem essa informação. Os sete medicamentos que se mostraram eficazes em tais estudos foram fluvoxamina, fluoxetina, sertralina, paroxetina, citalopram, escitalopram e clomipramina. A clomipramina é o mais estudado de todos e era considerado há bem pouco tempo o mais eficaz em todo o mundo. Hoje há uma crescente evidência da eficácia dos demais.

5. Como esses remédios podem ajudar os portadores de TOC?

Ainda não está claro como esses medicamentos atuam na redução das ideias obsessivas e das ações incontroláveis do TOC. Todos eles têm efeitos potentes sobre um neurotransmissor cerebral chamado serotonina. Tudo leva a crer que esses efeitos potentes sobre a serotonina são necessários (porém não suficientes) para produzir a melhora do TOC. A serotonina é um dos vários neurotransmis-

---

1. Fontes: *Obsessive-Compulsive Disorder Medication*, disponível em: http://emedicine.medscape.com/article/1934139-medication#2. Acesso em 5 de dezembro de 2016.

sores químicos que as células nervosas no cérebro usam para se comunicar umas com as outras. Diferentemente de outros neurotransmissores, seus receptores estão espalhados por diversas áreas do cérebro, e isso explica sua participação em vários transtornos do comportamento, inclusive o TOC e a depressão.

Os antidepressivos utilizados no TOC são os inibidores seletivos da recaptação da serotonina (ISRS), exceção feita à clomipramina. Esses medicamentos aumentam a quantidade de serotonina no espaço intersináptico (espaço entre um neurônio e outro) ao impedir que ela retorne para o neurônio que a liberou. Se esse processo de retorno, chamado de recaptação, estiver inibido em função da ação de um ISRS, fará com que mais serotonina fique entre um neurônio e seu vizinho. Assim, a transmissão do impulso elétrico neuronal flui melhor, facilitando o funcionamento dos sistemas cerebrais, inclusive o sistema de pensar e agir (obsessões e compulsões).

Se para você tudo isso faz pouco sentido, saiba que nem mesmo os pesquisadores entendem com precisão como essas medicações atuam sobre os sintomas do TOC. No entanto, uma coisa é fato: após décadas de pesquisas, sabemos como tratar o TOC, embora não saibamos exatamente por que os tratamentos funcionam.

6. Em que doses esses antidepressivos mostram eficácia no tratamento do TOC?

Para a grande maioria das pessoas, quase como regra geral, são necessárias doses mais elevadas dessas medicações para que elas exerçam seus efeitos antiobsessivos. Essas dosagens costumam ser maiores do que as utilizadas habitualmente para os quadros de depressão, pânico ou fobia social, nos quais os mesmos medicamentos são também bastante eficazes. Isso nos leva a acreditar que no TOC a deficiência de serotonina é muito grande, daí a necessidade de doses mais elevadas de substâncias que, em última instância, aumentam o nível de serotonina em diversos locais do cérebro.

7. Essas medicações apresentam efeitos colaterais?

É claro que esses medicamentos podem apresentar efeitos colaterais. Como tenho afirmado, tudo é uma questão de como o médico e o paciente vão colocar na balança os benefícios da medicação contra seus possíveis efeitos colaterais. Falo *possíveis*, pois existem pacientes — e não são raros — que não se queixam de incômodo em face da grande melhora que obtiveram. É importante que o paciente seja franco e claro com seu médico no que tange a problemas que possam surgir em função da medicação. Na maioria das vezes, um pequeno ajuste na dose ou a alteração no horário de tomá-la é tudo que o paciente precisa, e isso pode ser facilmente resolvido entre ele e o profissional que o acompanha.

Como disse, fluvoxamina, fluoxetina, paroxetina, sertralina, citalopram e escitalopram são antidepressivos do tipo ISRS,[2] enquanto a clomipramina é um antidepressivo tricíclico mais antigo, do tipo IRS.[3] Como a clomipramina não é seletiva, ela age sobre outros neurotransmissores cerebrais, e não especificamente sobre a serotonina, como os demais.

Tanto os ISRS quanto os IRS podem produzir efeitos colaterais de natureza sexual em ambos os sexos. A clomipramina costuma não alterar a libido (desejo), no entanto retarda muito o tempo de

---

2. Inibidor Seletivos da Recaptação da Serotonina.
3. Inibidor da Recaptação da Serotonina.

ejaculação e de explosão do orgasmo. A fluvoxamina e a sertralina podem reduzir um pouco a libido, mas em geral não alteram o tempo de ejaculação e do orgasmo. A paroxetina costuma até aumentar a libido e reduzir o tempo de ejaculação e do orgasmo de forma discreta, comparada à clomipramina. Escitalopram em doses mais altas e citalopram reduzem a libido e o tempo de ejaculação e do orgasmo. E, por fim, a fluoxetina, que não altera o *timing*, mas pode provocar intensa redução do desejo sexual.

Não deixe nunca de relatar a seu médico as dificuldades sexuais advindas do uso da medicação. Embora isso possa soar embaraçoso a princípio, somente por meio do seu relato ele poderá ajudá-lo a encontrar maneiras de lidar com elas ou lhe indicar medicações que eliminem o problema enquanto você estiver sob tratamento.

Os ISRS também podem, no início, causar náuseas, inapetência, inquietação, sonolência em alguns pacientes e insônia com alto grau de energia em outros. No entanto, todos esses efeitos podem ser reduzidos ou mesmo evitados se o tratamento for iniciado em doses muito pequenas e o aumento for feito de maneira escalonada semanalmente ou a cada cinco ou dez dias, conforme for combinado com seu médico. Outros hábitos que colaboram para amenizar esses efeitos são ingerir de dois a três litros de água por dia e seguir uma alimentação composta por pequenas refeições — como se fossem lanches a cada três horas. Costumo sempre prescrever essas recomendações a meus pacientes, pois elas também são remédios em forma de cuidados.

Quanto à clomipramina, por ser uma medicação tricíclica (não específica) e mais antiga, pode causar efeitos mais pronunciados. Os mais comuns são sonolência, boca seca, taquicardia, dificuldade de concentração e problemas de urina, principalmente nos homens. Às vezes o ganho de peso pode se tornar um problema e pode ser necessário seguir uma dieta rígida, caso o apetite aumente muito. Mas uma conversa com seu médico será capaz de definir os efeitos colaterais que podem ser reduzidos ou eliminados, ou ainda o custo-benefício que você obterá em sua vida.

Como regra geral, esses medicamentos são muito seguros, mesmo quando usados por um longo período de tempo. Todos os seus efeitos colaterais se revertem quando são interrompidos ou retirados ao fim do tratamento e, melhor ainda, não causam dependência ao organismo — até porque são de tarja vermelha. Lembre-se: viver é uma aventura cheia de efeitos colaterais, e, até onde sabemos, "todo mundo quer ir para o céu, mas ninguém quer morrer", como disse o cantor e compositor Evandro Mesquita.

8. E se o paciente apresentar efeitos colaterais mesmo com baixas doses das medicações?

Existem, de fato, pessoas que apresentam hipersensibilidade a medicamentos em geral, e para elas é muito difícil tolerar inclusive pequenas doses dos antidepressivos. Nesses casos, utilizamos a tática das microdoses iniciais, que variam de acordo com a sensibilidade e a intensidade dos efeitos colaterais apresentados pelo paciente. Essa tática tem apresentado ótimos resultados para muitos pacientes com TOC que sofrem de hipersensibilidade medicamentosa.

O problema em realizar as microdoses é a apresentação dos remédios. A grande maioria deles é fabricada na forma de comprimidos ou cápsulas. Felizmente, hoje já existem no mercado outras formas de apresentação desses antidepressivos. É o caso da fluoxetina líquida e solúvel, que pode ser diluída em um pouco d'água e tomada em frações correspondentes às microdoses. Há ainda a possibilidade de manipular essas medicações de tal maneira que o médico possa prescrever de 5% a 10% de suas doses mínimas. Dessa forma, realizam-se aumentos graduais e cuidadosos em intervalos predeterminados, o que permite aos pacientes mais sensíveis alcançar os níveis terapêuticos em um período aproximado de dois a três meses.

Como disse anteriormente, toda tentativa que visa aliviar o sofrimento do paciente tem legitimidade por seu objetivo em si e, por isso mesmo, pode e deve ser realizada.

9. Quais pessoas não devem usar as medicações anti-TOC?

A princípio, segue-se a regra básica para o uso de qualquer tipo de medicação. Ou seja, deve-se evitar que sejam tomadas por mulheres grávidas, principalmente nos três primeiros meses da gravidez, já que nesse período toda a estrutura do feto está em formação. Algumas mulheres conseguem controlar seus sintomas de TOC utilizando técnicas comportamentais de exposição e prevenção de resposta, evitando assim o uso dos medicamentos. No entanto, se o TOC for muito grave ou tiver se agravado durante a gestação, haverá a necessidade de prescrever uma medicação. Nesses casos, é preferível o uso da fluoxetina, uma vez que existem pesquisas confiáveis sobre esse aspecto. Esses estudos podem ser solicitados por seu médico e vistos por vocês em conjunto. Eles mostraram que a taxa de má-formação entre as mulheres grávidas que utilizaram a fluoxetina e as que não utilizaram nenhuma medicação desse tipo foi praticamente a mesma; em níveis estatísticos, não houve nenhuma diferença considerável. Em minha prática clínica, pude acompanhar alguns casos desse tipo, e todos — sem exceção — foram muito bem-sucedidos, tanto para a mãe como para o bebê.

Nos pacientes idosos, deve-se evitar a clomipramina. Por terem o sistema renal de eliminação medicamentosa funcionando com menor eficácia, esses pacientes tendem a apresentar os efeitos colaterais de forma mais intensa e severa. Assim, podem ocorrer confusão mental, retenção urinária ou alteração do ritmo cardíaco. Em relação aos outros medicamentos — paroxetina, fluoxetina, fluvoxamina, sertralina, citalopram e escitalopram —, o nível de segurança da clomipramina é bem maior, mas mesmo assim deve ser utilizada em doses bem menores que as de adultos jovens com finalidade terapêutica.

10. As medicações só devem ser usadas em fase de estresse, quando os sintomas ficam muito mais intensos?

Esse é um grande equívoco e um erro frequente. As medicações para o TOC devem ser tomadas diariamente e de forma regular, para que os níveis sanguíneos se mantenham constantes. Remédios tomados ocasionalmente em situações de estresse são os chamados ansiolíticos, popularmente conhecidos como calmantes. No caso do TOC, os calmantes podem ser úteis em momentos de estresse agudo, como uma briga familiar mais calorosa, a morte repentina de alguém muito querido, a perda do emprego etc.

Mesmo assim, seu uso deve ser limitado a poucos dias, uma vez que alguns possuem tarja preta,[4] com exceção da buspirona, da pregabalina e da gabapentina. Estes dois últimos, em doses bem baixas, têm ótimo efeito ansiolítico.

11. Que tipo de especialista deve ser procurado para tratar o TOC?

Procure sempre um psiquiatra que seja bastante familiarizado com o quadro clínico do transtorno obsessivo-compulsivo e tenha grande experiência em seu tratamento. Em caso de dúvidas,

---

4. Potencial risco de gerar dependência química.

solicite informações nos serviços específicos dos hospitais universitários ou em associações de portadores e familiares de TOC e afins. Algumas delas são citadas no final do livro.

12. Tomar remédio para controlar pensamentos e ações não representa uma espécie de fracasso pessoal?

Que os outros pensem isso de quem tem TOC, até é possível entender. Porém, quem sofre do transtorno, mais do que ninguém, sabe o quanto é difícil controlar os pensamentos e principalmente os rituais ou manias. Se fosse fácil, por que tanto sofrimento? Assim como ocorre com os diabéticos e os hipertensos, que utilizam medicamentos de uso contínuo para ter uma vida confortável, as pessoas com TOC precisam de medicações antiobsessivas e anticompulsivas para viver com qualidade.

13. O que fazer quando o paciente tem medo de tomar os remédios?

Um diálogo franco entre o médico e o paciente ajuda nesse caso. Ao deparar com esse problema, em parte comum, lembro ao portador do TOC que ele é muito maior do que seus pensamentos indesejáveis e suas ações incontroláveis. E que pior do que viver mal é viver preso dentro de si mesmo, sem nenhuma liberdade de escolha. Isso é literalmente escravidão. Ser ou não ser livre é uma decisão que faz parte desse processo.

14. Em quanto tempo os medicamentos começam a produzir efeitos significativos na vida cotidiana da pessoa com TOC?

Tudo vai depender de quanto tempo levaremos para atingir as doses terapêuticas, que, como visto, são bem mais altas que as utilizadas em transtornos como a depressão e o pânico. Em geral, no primeiro mês já se pode perceber pequenas melhoras, e por volta do terceiro ou quarto mês o paciente passa a apresentar mudanças significativas com repercussões positivas em seu cotidiano. Se nesse período o paciente estiver fazendo terapia comportamental de forma combinada, suas chances de melhora serão maximizadas.

15. Os medicamentos sempre funcionam?

As medicações para TOC em doses terapêuticas podem ajudar cerca de 75% a 85% dos pacientes, pelo menos no que se refere a proporcionar algum alívio em seus sintomas. Uma melhora consistente é relatada por 55% a 60% dos pacientes em monoterapia (apenas uma medicação) associada à terapia cognitivo-comportamental (TCC).[5] Existe uma parcela reduzida de pacientes que não apresentam nenhuma melhora com esse tipo de intervenção. Nesses casos, deve-se optar por outro medicamento ou iniciar a terapia de combinação medicamentosa, que tem se mostrado eficaz em potencializar resposta clínica e terapêutica. Um bom exemplo dessa combinação tem sido o uso da fluoxetina ou da fluvoxamina com a clomipramina. Não se pode esquecer que, inicialmente, as doses da clomipramina devem ser um pouco mais baixas que as habituais, em razão do aumento nas taxas sanguíneas de ambas as substâncias. No entanto, a melhor técnica para potencializar o tratamento medicamentoso do TOC é associá-lo à terapia comportamental. E a boa notícia é que esta última é desprovida de efeitos colaterais e tem sua eficácia cientificamente comprovada.

---

5. Assunto que será abordado no capítulo 13.

16. O uso da medicação para TOC é para sempre?

A resposta para tal pergunta só é possível a partir do momento em que se consiga montar um esquema medicamentoso capaz de proporcionar o máximo de conforto ao paciente. É claro que esse é um parâmetro bastante subjetivo, mas uma relação franca entre médico e paciente pode fazer com que se estabeleça essa questão tão sutil quanto necessária.

Na verdade, ninguém sabe por quanto tempo os pacientes devem tomar os medicamentos, mesmo que eles se mostrem eficazes. A minha prática clínica aponta para algumas direções: 10% dos pacientes conseguem descontinuar os medicamentos após um período médio de dois anos, de forma gradual; 20% deles precisam tomar uma dose alta de medicação por muitos anos ou pelo resto da vida; um grupo grande, praticamente 70%, precisa tomar pelo menos uma dosagem baixa de medicação durante muitos anos ou mesmo por toda a vida.

Uma coisa é certa: os riscos de recaída serão mais baixos se os pacientes aprenderem a usar as técnicas da terapia cognitivo-comportamental enquanto a medicação agir a longo prazo. As técnicas comportamentais também preparam os pacientes para controlar sintomas indesejáveis que venham a retornar após a retirada das medicações.

É bom lembrar que, se os sintomas ressurgirem após um período de descontinuidade da medicação, isso não ocorrerá imediatamente, mas sim num período compreendido entre três e cinco semanas.

17. Qual é a relação entre TOC e depressão?

Com base na minha observação clínica diária, aproximadamente 75% dos pacientes com TOC sofreram pelo menos um episódio de grande depressão na vida. Cerca de 40% já se apresentam deprimidos quando buscam a ajuda do psiquiatra. Em geral, a consulta ocorre por causa da depressão, e o TOC acaba sendo descoberto no decorrer do tratamento. A maioria dos pacientes que conseguem se abrir revela que seus sintomas de TOC surgiram muito antes. Isso nos leva a pensar que a depressão teve início quando eles não conseguiram mais lidar com seu transtorno.

18. É possível ter esperança?

Com certeza! A combinação de medicamentos e terapia comportamental tem conseguido fazer com que a maioria dos pacientes com TOC funcione bem tanto no trabalho quanto na vida social e afetiva. Além disso, a ciência continua suas pesquisas incessantes por mais dados que possam esclarecer as causas do TOC e por novos tratamentos. Isso, indubitavelmente, aumenta muito a esperança de as pessoas com TOC e seus familiares obterem maior qualidade de vida em um futuro bem próximo.

19. Quais os antidepressivos mais modernos utilizados no tratamento do TOC?

É importante entender que a eficácia de um remédio não é traduzida pelo seu tempo no mercado. Os antidepressivos mais recentes diferem dos mais antigos basicamente pelo fato de estes últimos possuírem muitos efeitos colaterais, grande parte deles difíceis de suportar a longo prazo.

O citalopram e o escitalopram — apesar de não serem medicamentos tão novos — foram os últimos antidepressivos lançados no mercado e pertencem à classe dos inibidores seletivos de serotonina, e, recentemente, foram reconhecidos como eficazes para o TOC. Na prática clínica diária, tais medicamentos têm demonstrado bons resultados no controle das ideias obsessivas dos pacientes com TOC. As doses de ambos costumam ser mais altas do que as utilizadas no tratamento da depressão. Porém, a baixa incidência de efeitos colaterais vem motivando muitos pacientes a tratarem seu quadro de TOC.

Além desses, existem medicamentos de outras classes que têm demonstrado eficácia no transtorno obsessivo-compulsivo. Entre os inibidores seletivos da receptação da serotonina e da noradrenalina — embora estejam ainda em fase de estudo para essa indicação —, pela minha experiência clínica, percebo que a venlafaxina e a desvenlafaxina (em doses baixas de 50 mg/dia) podem ser consideradas naqueles casos difíceis de tratar, ou em pacientes que tem como pioridade preservar a função sexual.

20. Quais são as alternativas de tratamento em casos de pacientes que não respondem ao tratamento convencional?

Infelizmente, existem casos tão resistentes ao tratamento tradicional que não se consegue controle dos sintomas por meio de terapia e medicamentos, mesmo com o uso de antipsicóticos. Nestes, observo um grande sofrimento por parte dos pacientes, de forma tão insuportável que os impossibilita de ter uma vida minimamente funcional. Muitos deles correm o risco de suicídio em função do tamanho do sofrimento. Frente às limitações terapêuticas disponíveis para casos como esses, como médica e ser humano, sinto-me na obrigação de pesquisar soluções para tentar minimizar a dor insustentável desses pacientes. Diante disso, recomendo tratamentos que hoje são considerados *off-label*, ou seja, observa-se melhora dos pacientes em pesquisas, porém os resultados ainda são insuficientes para uma indicação formal.

Dentre estes, temos a Estimulação Magnética Transcraniana Repetitiva (EMTr) superficial e profunda, e a neurocirurgia. A EMTr é uma técnica em que se aplicam pulsos eletromagnéticos repetidos em uma região específica do cérebro. Nos casos de TOC e de síndrome de Tourette, a estimulação é feita na região parietal, localizada no topo da cabeça. É um tratamento não invasivo e muito bem tolerado pelos pacientes. Tanto a EMTr superficial quanto a profunda já estão disponíveis no Brasil, com aparelhos aprovados pela Agência Nacional de Vigilância Sanitária (Anvisa). Tenho pacientes graves que, graças ao sucesso do tratamento com a EMTr superficial, não precisaram se submeter à intervenção cirúrgica.

Na minha prática clínica, tenho obtido bons resultados com a técnica de EMTr superficial, e costumo recomendá-la àqueles casos graves que não respondem de forma satisfatória às medicações. Já a EMTr profunda é mais recente no Brasil, e, embora eu particularmente ainda não tenha experiência com essa técnica, os estudos avaliam ser bem mais eficaz do que a superficial. No que tange ao custo-benefício, é fundamental que a família avalie bem a necessidade da EMTr, uma vez que há uma parcela de pacientes que, mesmo após anos de tratamento convencional, só apresentaram alívio dos sintomas indesejáveis com a aplicação desse procedimento.

Já nos casos que não respondem à EMTr, existe a opção de neurocirurgias como a cingulotomia[6] e a Estimulação Profunda por Implante Cerebral com Microchip (DBS).[7] A cingulotomia consiste em uma cirurgia neurológica em que se interrompe o

---

6. Cíngulo = região do cérebro; tomia = corte.
7. *Deep Brain Stimulation.*

circuito orbitofrontal-subcortical, um circuito cerebral que está relacionado a uma das causas da doença. O DBS já está aprovado pela *Food and Drug Administration*[8] para o tratamento do TOC grave refratário, tendo apresentado respostas positivas. O método consiste em colocar um implante de microchip em uma região do cérebro chamada cápsula ventral ou *striatum* ventral.

Devo salientar que toda intervenção cirúrgica é invasiva e possui seus riscos; nenhuma delas "cura" a doença, e sim melhora os sintomas.

---

8. FDA, órgão governamental norte-americano, que regula os medicamentos.

A psicoterapia cognitivo-
-comportamental busca a mudança
de padrões disfuncionais de
pensamento para promover uma
melhora que consequentemente se
refletirá nas emoções e nos
comportamentos.

13
O QUE ARDE CURA: O TRATAMENTO PSICOTERÁPICO DO TOC

Décadas atrás, o TOC era considerado raro e intratável. Não foi nada agradável saber depois que ele não era nada raro, não obstante ainda pouco tratável.

Com a descoberta das medicações antidepressivas tricíclicas, o combate do transtorno saiu da desesperança e foi ao encontro de soluções efetivas. No campo da psicoterapia, a união de uma antiga e grande força da psicologia — o comportamentalismo — com a mais recente terapia cognitiva do psiquiatra norte-americano Aaron Beck resultou em um robusto sistema teórico e psicoterápico. Denominada terapia cognitivo-comportamental (TCC), a abordagem é cientificamente orientada, objetiva e busca a eficácia em nome do bem-estar do paciente.

De maneira sucinta, esse sistema psicoterápico funciona da seguinte forma: cognições se referem a nossas funções mentais superiores, tais como pensamento, memória, linguagem e atenção. No caso da terapia cognitiva, o foco está nos processos de pensamento, em como eles influenciam nossa visão de mundo e nossa interpretação dos acontecimentos, que se refletem em nossas emoções e comportamentos. Se uma pessoa tem um padrão de pensamentos negativistas, pessimistas e autodepreciativos, é fácil deduzir como serão seus sentimentos e seus comportamentos. A psicoterapia cognitivo-comportamental busca a mudança de padrões disfuncionais de pensamento para promover uma melhora que, consequentemente, se refletirá nas emoções e nos comportamentos. Em muitos casos, a mudança no padrão de comportamento é fundamental, e este é o caso do TOC. Muitos pacientes melhoram sua forma de pensar quando adotam primeiramente mudanças no modo de agir. Eles percebem que, mesmo que não executem seus rituais, as temidas consequências negativas não se concretizam. Assim, acabam aceitando mudanças positivas nos padrões de pensamento.

Tratamento cognitivo-comportamental para o TOC

A princípio, quando o paciente toma conhecimento das técnicas da terapia para o TOC, pode sentir-se intimidado, com a sensação de que vai "dormir com o inimigo". As técnicas comportamentais para o TOC envolvem justamente quebrar o círculo vicioso que o paciente acredita ser seu porto seguro. Imagine que o paciente com TOC é aquele sujeito que sabe nadar, mas ainda não conseguiu se livrar da prancha. A prancha é sua garantia de que nada dará errado, embora a garantia verdadeira esteja no fato de ele saber nadar e permitir-se executar os movimentos de nado. Mas não, para ele a prancha é sua única garantia de segurança e, por causa dela, deixa de nadar com liberdade, velocidade e amplitude de movimentos. No TOC, as compulsões ou rituais são a prancha. O psicoterapeuta cognitivo-comportamental fará o papel do professor dedicado mas firme: conduzirá o paciente ao abandono da prancha, apoiando-o em todo o doloroso processo repleto de medo e ansiedade que se seguirá até que ele se liberte dessa "necessidade" que lhe dá uma segurança tão ilusória quanto passageira.

O paciente com TOC dá voltas em torno do próprio rabo: seus pensamentos obsessivos (cognições) geram intensa ansiedade e medo (emoções), aos quais ele responderá com rituais (compulsões) que acredita firmemente serem capazes de impedir as consequências temidas. Como a origem do comportamento está nos pensamentos obsessivos, os rituais trarão apenas um alívio temporário da ansiedade. Dentro de um curto intervalo, os pensamentos obsessivos voltarão a bater à porta da mente. A ansiedade retorna, e a necessidade de praticar os rituais também. É um círculo vicioso que gira em torno do próprio eixo infinitamente. A pessoa com TOC condicionou-se a ritualizar para ter um alívio ilusório e curto de seu sofrimento. É preciso quebrar o círculo.

A maneira mais eficaz de partir essa ciranda sem fim é atacar seu componente mais passível de modificação: os rituais. O processo é aparentemente simples: depois de ter pensamentos obsessivos — que podem ser evocados através da exposição proposital a estímulos e situações temidas —, o paciente deve impedir-se de praticar os rituais, mesmo que dessa forma experimente ansiedade. Lembremos que o paciente associou a ritualização com a diminuição de ansiedade. No entanto, a ansiedade tende a diminuir após certo tempo (de vinte a quarenta minutos), mesmo que os rituais não sejam executados. A ansiedade decrescerá de qualquer maneira, porque nosso organismo tem mecanismos próprios para "desligar" essas reações, já que elas causam um gasto muito grande de energia. O desafio consiste em suportar esse período de ansiedade sem cair na tentação de realizar os rituais. Seria o soltar-se da prancha e nadar até que o coração desacelere e o estômago pare de revirar.

Embora isso pareça simples, o paciente precisa estar disposto a enfrentar as situações e se expor aos estímulos temidos, impedindo-se de realizar os rituais pelo tempo que for necessário para a ansiedade ceder. Isso é extremamente importante para que ele possa desvincular as compulsões da ansiedade, ou seja, desassociar os rituais da sensação de alívio e segurança. Essa relação é apenas arbitrária e ilusória, causando imensos problemas e impedimentos à vida de uma pessoa, em troca de apenas alguns instantes de alívio.

Como exemplo prático, posso citar o caso de um "lavador". Seus pensamentos obsessivos referem-se à contaminação e ao adoecimento e causam intenso desconforto e ansiedade, que são aliviados temporariamente pelo comportamento compulsivo de lavar as mãos. Nesse caso, uma das técnicas de tratamento da terapia cognitivo-comportamental seria expor o paciente a um estímulo temido: tocar a maçaneta de uma porta manuseada por outras pessoas, por exemplo. O paciente, por sua vez, deve resistir à compulsão de lavar as mãos até que a ansiedade diminua. Assim, ele passa a descondicionar seu comportamento por meio da experimentação real do alívio da ansiedade — mesmo que o ritual não tenha sido realizado.

É óbvio que esse tratamento, a princípio, pode parecer um desafio intransponível ao paciente com TOC. Muitos se arrepiam ao conhecer a técnica e pedem uma solução alternativa. Contudo, não há solução possível sem que a bioquímica cerebral seja restabelecida através de medicamentos e sem o abandono dos comportamentos condicionados e compulsivos.

A verdade é tão simples quanto dura: não há conforto vital, não há vida que valha a pena, não há liberdade e felicidade quando se é dependente de compulsões. O tempo despendido na realização dos rituais (manias), sem dúvida, poderia ser empregado na busca por uma maior qualidade de vida. Assim, não se deve insistir em alternativas à exposição e prevenção de respostas. Por mais que o início do tratamento possa parecer uma pesada pedra que se deve empurrar montanha acima, nada se compara à sensação de jogá-la montanha abaixo, enquanto se diz para si mesmo: "Não preciso mais de você".

Para que o paciente se habitue à exposição aos estímulos temidos, o psicólogo comportamental pedirá a ele que faça uma lista de eventos mais temidos, relacionando também os pensamentos obsessivos, os rituais e a frequência com que os executa. Ainda utilizando o exemplo do "lavador", ele poderia listar eventos que causam desconforto, como apertar mãos, usar portas, abrir janelas, tocar em algum utensílio bastante manuseado, como controles remotos, telefones etc. Como se pode imaginar, os pensamentos obsessivos aqui se referem à contaminação. Os rituais compulsivos certamente envolvem lavagens de mãos, banhos, limpeza sistemática e repetida de objetos.

A partir dessa lista, o paciente deve graduar — com o auxílio de seu psicoterapeuta — os eventos que são menos e mais temidos por ele. Pode-se usar uma escala de 0 a 100, em que 0 indica uma situação que não causa ansiedade; 50, uma ansiedade média, mas já causadora de desconforto; e 100, a situação em que se experimenta o maior grau de ansiedade e desconforto possível. Imagine uma lista graduada da seguinte forma: ansiedade 30 para abrir janelas, 50 para abrir portas, 70 para usar o controle remoto e 100 para apertar as mãos de outras pessoas. Em seguida, deve-se iniciar o programa de exposição e prevenção de respostas pelas situações causadoras de menor ansiedade, aquelas em que o paciente conseguirá se sentir mais no controle e apto a não ritualizar. À medida que a ansiedade for decrescendo naquelas situações iniciais, pode-se partir para o próximo item da lista, causador de maior ansiedade do que o primeiro. A essa altura, o segundo item não provocará tanta aversão ao paciente, visto que ele já enfrentou uma situação desconfortável antes e deverá estar menos sensível aos estímulos.

É óbvio que esse não é um processo rápido. Alguns itens podem demandar muitas semanas de exercícios diários de exposição, até que seu poder de causar sofrimento e escravizar o paciente diminua. Nesse meio-tempo, o paciente pode se desesperar, se sentir exausto e desesperançado, e, portanto, a cooperação da família e dos amigos é essencial. Todos devem estar unidos no sentido de impedir que o paciente tenha recaídas em sua necessidade de realizar os rituais, tal qual um dependente de drogas.

Vicente, de 42 anos, analista financeiro, conta sua batalha:

> No início, eu não queria fazer os exercícios de jeito nenhum. Não entendia qual era a lógica. Afinal, me expor à sujeira iria me provar o quê? Eu achava que acabaria pegando uma doença, da qual sentia estar protegido pelos meus rituais de limpeza. Mas o fato é que eu supervalorizava a probabilidade de me contaminar. Hoje percebo que com meus antigos hábitos até me expunha mais, pois me lavava tanto que retirava do organismo substâncias que meu corpo produzia para me proteger. Castigava tanto minha pele com detergentes que ela ficou fina, rachada e fragilizada a ponto de realmente me deixar vulnerável a qualquer ferimento e infecção. Então comecei a terapia. Minha família foi fundamental, pois a todo momento eu pensava em desistir. Rebelava-me, não queria fazer a exposição. Cheguei a odiar meu psicólogo, como a gente odeia o médico que nos aplica uma injeção quando criança. À medida que a exposição progredia, aos trancos e barrancos, fui percebendo que nada daquilo que eu temia acontecer se tornou real. Quando um primo meu, que é alergologista e imunologista, me dizia que era até importante nos expormos a certas substâncias e micro-organismos para desenvolver imunidade e resistência, eu pensava que ele era doido. Logo passei a achar que todos eram malucos, por conviverem no meio de gente doente. Vocês podem imaginar o sufoco que foi ser convencido a ir a uma psiquiatra? Eu

pensava que psiquiatras conviviam com loucos que não tomavam banho, comiam fezes e faziam as porcarias mais inenarráveis que minha mente podia conceber. Minha família e a equipe que cuidou de mim tiveram muita paciência, pois, entre idas e vindas, meu tratamento durou cinco anos e se acelerou bastante no final, com a introdução da terapia comportamental, apesar de toda a minha resistência.

É uma luta, de fato. Uma luta em que o paciente pode chegar até a enxergar seu psicoterapeuta como carrasco ou madrasta má. O terapeuta sabe que o remédio é amargo e sabe também quanto o paciente está sofrendo, mas insistirá para que ele persevere e mantenha o esforço para se libertar da teia que ele próprio teceu.

Para esclarecer dúvidas, observe a seguir algumas das perguntas mais comuns no que se refere ao tratamento psicoterápico do TOC:

1. Eu posso tentar parar com as minhas manias sozinho?

Sim. Você pode tentar. Inclusive, é ótimo que você pense assim, pois já demonstra grande interesse em melhorar. O que você precisa é de uma alta dose de motivação, perseverança e organização. Se souber de antemão que o tratamento psicoterápico eficaz para o TOC envolve exposição à ansiedade e estiver pronto para lidar com isso, já é um grande passo. O terapeuta comportamental, porém, está habituado a lidar com esse tipo de tratamento e o orientará e dará apoio nos momentos mais difíceis da exposição, organizando-a de forma graduada e controlada. Em minha experiência, acredito que a presença do terapeuta é fundamental. Desconheço, até o momento, uma tentativa independente de fazer exposição e prevenção de respostas que tenha sido bem-sucedida.

2. Já me disseram que o importante é que eu entenda a causa do problema, o porquê de eu ter esses pensamentos obsessivos e rituais. A terapia comportamental vai diretamente ao problema. O que devo fazer, afinal?

Identificar e entender fatores — como ansiedade, ou mesmo problemas que estejam desencadeando ou intensificando o TOC — não deixa de ser importante. No entanto, a origem do TOC envolve fatores biológicos (como herança genética), psicológicos e ambientais, que interagem e acabam tornando a causa do problema algo que não pode ser definido de uma forma tão simples. De todo modo, desconheço tratamentos bem-sucedidos em que a pessoa tenha se curado apenas com a descoberta das causas do transtorno, sem tratar a ansiedade e a manifestação do problema em si. O fato de você saber as possíveis causas que deflagraram a execução de rituais não significa de maneira alguma que conseguirá deixar de fazê-los.

3. Tenho tantos problemas no trabalho, no meu casamento, contas a pagar, aborrecimentos com filhos. Será que eu devo cuidar dessas coisas antes de começar o tratamento do TOC?

Todas as pessoas, com ou sem TOC, têm problemas. De certa forma, viver já é um desafio que exige soluções o tempo todo. Até mesmo tomar uma decisão muito boa, como a compra de um carro, não deixa de ser um pequeno dilema a resolver. É necessário fazer a escolha certa. O próprio TOC pode agravar todos os problemas citados ou mesmo desencadeá-los, já que, dependendo do grau de comprometimento, conviver com alguém com tal transtorno pode ser uma tarefa bastante difícil. Sendo assim, o tratamento pode e deve ser feito, principalmente se há outros problemas envolvidos. Pois uma coisa é certa: com a melhora do TOC, muitas dessas questões serão bastante amenizadas, podendo até desaparecer.

4. Ajudaria fazer ioga, meditação ou hipnose para combater meu TOC?

Essas práticas podem ajudar a melhorar sua qualidade de vida de maneira geral, mas não no caso de TOC. Esses métodos funcionam muito bem em outros transtornos de ansiedade, como o pânico, por exemplo. No TOC, porém, os resultados não são satisfatórios, infelizmente. Algumas pesquisas demonstram resultados positivos que ainda não são conclusivos.

5. Tenho tricotilomania, vivo arrancando fios de cabelo. O que devo esperar do tratamento?

Costumo responder a essa pergunta em tom de brincadeira. Na verdade, pense no que o tratamento deve esperar de você. Se você está disposto, realmente motivado e firme para seguir as orientações medicamentosas e as técnicas comportamentais, deve esperar ótimos resultados. Mas isso dependerá somente de sua motivação e de sua perseverança. Portanto, o tratamento é que depende de você, e não você dele.

6. Ora se diz "compulsão", ora se diz "ritual". Qual é o certo?

Ambos. O termo médico é "compulsão", mas também se usa a palavra "ritual". O problema de se usar o termo ritual é que alguns deles nos são benéficos. É o caso dos rituais religiosos, por exemplo. Já o ritual compulsivo do TOC sempre é desagradável. Há ainda o termo "mania", do senso comum. Alguém que não esteja familiarizado ou não conheça o TOC provavelmente dirá que um indivíduo com esse transtorno é "cheio de manias esquisitas". Como já dito no capítulo 3, em psiquiatria, "mania" designa o estado afetivo em que há um humor anormal e intensificado, persistentemente eufórico ou de extrema irritabilidade. E isso não tem nada a ver com o TOC. No entanto, com o objetivo de facilitar a compreensão do transtorno, utilizei a palavra "mania" como sinônimo de compulsão, já que é mais acessível ao público em geral. Afinal, quase todo mundo conhece alguém assim.

7. Minha filha está executando um ritual parecido com o TOC. O que devo fazer?

A maioria das pessoas passa por uma fase de rituais na infância. É difícil encontrar alguém que não tenha tido maniazinhas durante a infância, como pular linhas na calçada etc. É possível que tal característica cumpra alguma função no desenvolvimento da criança, como estimular o pensamento organizado e dirigido a metas. Essa é uma hipótese.

Para diferenciar essa fase passageira do TOC, é necessário avaliar alguns itens. Observe o grau de ansiedade, o sofrimento da criança, o tempo que ela perde com os rituais e se eles estão interferindo em seu desempenho escolar, em suas amizades e em seu cotidiano. Se você sentir que sua filha "cruzou a linha" e está sofrendo, é hora de buscar ajuda.

8. Disseram-me que seria pior se eu reprimisse os rituais, que poderiam surgir outros problemas. Isso é verdade?

Não. Essa é uma teoria de outras escolas psicoterápicas, segundo a qual conteúdos inconscientes e desagradáveis da mente podem vir à tona. Na verdade, hoje sabemos que se deve fazer justamente o contrário. Deve-se reprimi-los porque, quanto mais a pessoa executa os rituais de TOC, mais se condicionará a fazê-los. E o alívio temporário da ansiedade que eles proporcionam se tornará cada vez mais breve, fazendo com que a vida da pessoa pareça um disco arranhado, uma sucessão cada vez mais rápida de obsessões-compulsões. O pior que pode acontecer durante a terapia comportamental é o aumento temporário da ansiedade, que cederá com a progressão do tratamento.

9. Como posso ter certeza de que meus pensamentos obsessivos e as coisas de que sinto medo não se tornarão realidade caso eu pare de fazer os rituais?

Se você quer ter todas as garantias e cem por cento de certeza, devo responder que isso é impossível. Não só no que tange a seus medos específicos, como também a acontecimentos da vida, de forma geral. A pessoa com TOC sofre muito, pois acredita que precisa ter absoluta certeza de tudo, o que é um desejo irrealizável. Parte do tratamento toca na seguinte questão: a necessidade de ser flexível e aceitar fatalidades e eventos inevitáveis de nossa existência. Mas, em relação à terapia, certamente o que você teme não vai acontecer por ter deixado de fazer os rituais. A probabilidade de que isso venha a acontecer depende da natureza desse medo. A morte, por exemplo, é um fato inevitável, com ou sem rituais. Já no caso de um temor mais ilógico — como acordar feio ou desfigurado por não ter feito os rituais antes de dormir —, pode-se dizer que a possibilidade de isso ocorrer é praticamente nenhuma.

10. O TOC do meu marido é grave. A terapia comportamental funcionará nesse caso? E se ele não conseguir fazer alguns exercícios?

Sim. Pode demorar mais, ser mais trabalhosa em razão da complexidade e da extensão dos rituais, mas funciona. Se seu marido não estiver preparado para atingir determinados níveis do tratamento, ele deve, em conjunto com o terapeuta dele, ajustar os exercícios até que seja possível fazê-los. Os exercícios devem ser realizados em uma progressão suave e constante. O que seu marido não deve é desistir, e sim ser perseverante.

Uma pessoa com condição mental COT e outra com funcionamento mental TDAH podem ser complementares, principalmente quando se trata de trabalhos e projetos.

14
DIFERENÇAS QUE SOMAM E MULTIPLICAM TALENTOS: A NOVA IDEOLOGIA DE TRABALHO

O volume de informações com que o ser humano precisa lidar diariamente aumentou de maneira veloz e em progressão geométrica. Das informações relevantes às mais prosaicas, praticamente não temos mais a desculpa da ignorância. Ao comermos um sanduíche ou fazermos uma compra a prazo, logo nos vem à mente o que sabemos sobre colesterol e calorias, juros e taxas. Calculamos, avaliamos, escolhemos, desconfiamos, pesamos vantagens e desvantagens. É como se tivéssemos a obrigação de saber.

No mercado de trabalho, isso adquire contornos dramáticos. Com a reestruturação dos cargos e o encolhimento das ofertas de emprego, percebemos que os trabalhadores remanescentes precisam acumular funções e executar tarefas díspares, que exigem crescentes esforços e investimento em informação. Cada vez mais as pessoas têm a incômoda sensação de que falta alguma coisa para fazer ou saber, como se contraíssem "dívidas" de conhecimento. Por isso, infelizmente, os momentos de lazer e descanso são vividos com culpa.

Acredito que o trabalho é uma fonte de realização e orgulho para o ser humano, desde que ele não seja obrigado a fazer tudo sozinho e, paradoxalmente, sinta que não está produzindo nada. Como disse um de meus pacientes: "Fui transformado em um canivete suíço que, no entanto, não funciona bem, porque não tenho tempo para afiar e polir aquela infinidade de peças, que são as funções diferentes que tenho de cumprir".

Percebo que são mais felizes e produtivas as pessoas que podem exercer seu trabalho de uma forma que se afine essencialmente com seu funcionamento ou sua condição mental. Uma equipe de pessoas em que cada um contribui à sua maneira particular, em complementaridade uns com os outros, é certamente detentora de maior capacidade produtiva e criativa do que os trabalhadores "faz-tudo", multifuncionais, cronicamente ansiosos e infelizes.

Pensando nisso, ao escrever este livro, comecei a refletir sobre quanto uma pessoa com condição mental COT e outra com funcionamento mental TDAH[1] podem ser complementares, principalmente quando se trata de trabalhos e projetos.

Se não identificarem e respeitarem suas diferenças fundamentais, COT e TDAH podem entrar em uma guerrinha de cão e gato. Isso ocorre pois, enquanto um preza a organização, o outro caminha para a dispersão. Assim, como os opostos se completam, um TDAH guiado por um COT pode transformar suas ideias voláteis em substância duradoura. Já um COT, inflamado por um TDAH, pode dar crédito àquela ideia original e arriscada e empregar todo o seu poder de realização nessa empreitada.

Costumo imaginar essa dupla em uma cena surreal, literalmente pisando em ovos. O COT pega pela mão seu companheiro TDAH e leva-o, cuidadosa e pacientemente, apontando o caminho, incentivando-o e tornando mínimas as perdas. No entanto, se o momento pedisse ímpeto e impulsividade — caso o caminho desmoronasse ao ser pisado, por exemplo —, o TDAH agarraria seu companheiro COT pelo colarinho e o arrastaria dali rapidamente, quebrando os ovos e tudo o mais que se interpusesse no caminho dos dois.

---

1. Condição descrita no livro *Mentes inquietas*.

Muitas empresas realizam simpósios e treinamentos, adotam uma postura teórica de valorizar talentos e, na prática, exigem que essas pessoas talentosas façam muito bem aquilo para o qual são bem-dotadas. Além disso, devem ser organizadas, empreendedoras, criativas (mas que sigam regras), ter boas habilidades pessoais e serem capazes de fazer qualquer coisa em nome da competitividade. Devem, em suma, "assobiar e chupar cana" ao mesmo tempo.

Pesquisas recentes têm demonstrado que quando somos muito bons em determinadas áreas, como as que exigem habilidade matemática e extrema concentração, muito provavelmente teremos certo déficit em habilidades de comunicação, já que não existe cérebro perfeito e bom em tudo. Por outro lado, excelentes oradores e redatores, dotados de grande raciocínio verbal, podem ter dificuldades com o uso do raciocínio espacial, por exemplo.

No entanto, ainda vigoram velhos padrões de avaliação de desempenho pessoal e profissional que, mesmo ultrapassados, permanecem enraizados na estrutura atual. Fazem parte de uma cultura modelizante e antiquada. Em sua característica cartesiana, essas práticas rotulam os seres humanos da mesma forma com que marcam seus produtos.

Sugiro um novo olhar sobre as pessoas, algo mais voltado às habilidades que às deficiências. Quando somos valorizados, é mais fácil aceitar nossos pontos fracos. Assim, podemos buscar maneiras de nos superar ou mesmo conviver de forma transcendente ou mais harmoniosa com nossas imperfeições humanas.

De modo geral, vejo que pessoas com condição mental COT são especialmente aptas a funções executivas, de organização, intendência, pesquisa e desenvolvimento, logística e estratégia. Bem como quaisquer outras que exijam objetividade, responsabilidade, capacidade de solução de problemas e certa tendência a conceituar ambientes e situações de maneira mais lógica e emocionalmente balanceada. Em relação à capacidade de liderança, percebo que na maioria das vezes pessoas com condição mental COT não a exercem por vaidade, sede de poder ou simplesmente por fruto de carisma pessoal. Elas acabam sendo escolhidas como líderes pelo conjunto e pela harmonia de suas capacidades, aliadas a seu senso de responsabilidade bem desenvolvido.

Por essas mesmas razões, os COT são aquelas pessoas às quais as outras recorrem para pedir orientações, esclarecimentos, ajuda e sugestões. A facilidade com que detectam falhas e elaboram planos de trabalho, sendo concisos e responsáveis, os torna um ponto de referência no ambiente de trabalho, na comunidade, no círculo de amizades e em família. Muitas vezes, essa posição de liderança os preocupa e os deixa ansiosos, pois são bastante caprichosos e temem não poder preencher a expectativa alheia. No entanto, são os mais afeitos a essa função, justamente por encará-la com seriedade e sinônimo de dever, e não como meio de ascensão e influência.

Imagino que, no trabalho e na comunidade, grupos de pessoas com diferentes talentos e grande capacidade de complementaridade são o cenário ideal durante essa nova fase em que vivemos. Nela, todos — sem exceção — são obrigados a lidar, gerenciar, criar e organizar grandes quantidades de informação. Não creio que seja humanamente possível e muito menos considero justo que pessoas sejam utilizadas como fazedoras de tudo em seus trabalhos. Os "faz-tudo" que observo, em minha prática clínica, quase sempre não criam nada e não amam o fruto de seu trabalho. São o extremo oposto dos "apertadores de parafusos", que fazem só isso, mas se tornam igualmente descontentes e não realizados.

O respeito às singularidades em um grupo é o melhor caminho para quebrar estereótipos e possibilitar a convergência das diferenças em prol de um objetivo comum. O eventualmente dispersivo e criativo TDAH teria no organizado COT o parceiro perfeito para implementar suas ideias, transformando sonhos em realidade para ambos e, quem sabe, para muitos de nós.

Utilidade pública

AMBAN – Ambulatório de Ansiedade do Instituto de Psiquiatria do Hospital das Clínicas da FMUSP.
www.amban.org.br

ASTOC ST – Associação Solidária do TOC e Síndrome de Tourette.
Promove acolhimento e oferece grupos de apoio às pessoas com esses transtornos e a seus familiares.
www.astocst.com.br

IOCDF – International OCD Foundation (IOCDF) – Organização Internacional de Apoio aos Portadores de TOC.
Sem fins lucrativos.
https://iocdf.org

RioSTOC – Associação de Familiares, Amigos e Pessoas com Transtorno Obsessivo-Compulsivo e Síndrome de Tourette do Rio de Janeiro.
www.riostoc.org.br

Bibliografia

ABED, R.T.; PAUW, K.W. "An evolutionary hypothesis for obsessive compulsive disorder: psychological immune system?". In: http://cogprints.ecs.soton.ac.uk/archive/00001147/00/ocd-final.htm.

ASBAHR, F.R. et al. "Case series: increased vulnerability to obsessive-compulsive disorders symptoms with repeated episodes of Sydenham's Chorea." *Journal American Academy of Child and Adolescent Psychiatry*, v. 38: 1.522-5, 1999.

BAER, L. *Getting Control: Overcoming your Obsessions and Compulsions*. Nova York: Plume Book, 2000.

BARKOW, J.H.; COSMIDES, L.; TOOBY, J. *The Adapted Mind: Evolutionary Psychology and the Generation of Culture*. Nova York: Oxford University Press, 1992.

BERNSTEIN, A.J. *Vampiros emocionais: como lidar com pessoas que sugam você*. Rio de Janeiro: Campus, 2001.

BOYER, P. *Religion Explained: the Evolutionary Origins of Religious Thought*. Nova York: Basic Books, 2001.

BUSSE, S.R. *Anorexia, bulimia e obesidade*. São Paulo: Manole, 2004.

CASCUDO, L.C. *História dos nossos gestos: uma pesquisa na mímica do Brasil*. São Paulo: Global, 2003.

DESMOND, A.; MOORE, J. *Darwin: a vida de um evolucionista atormentado*. São Paulo: Geração Editorial, 1995.

DSM-IV. *Manual diagnóstico e estatístico de transtornos mentais*. American Psychiatric Association. Trad. Dayse Batista, 4ª ed. Porto Alegre: Artmed, 1995.

Evans, D.; Zarate, O. *Introducing Evolutionary Psychology.* Nova York: Totem Books, 1999.

Flament, M. et al. "Obsessive-compulsive disorder in adolescence: an epidemiologic study." *Journal of the American Academy of Child & Adolescent Psychiatry,* 27:764-71, 1988.

Franco, S. *O profissionauta.* São Paulo: Futura, 2001.

Freese, J.S. *A Dictionary and Filmography of over 600 Men and Women,* 1922-1996. Carolina do Norte: McFarland, 1998.

Goldberg, E. *O cérebro executivo: lobos frontais e a mente civilizada.* Rio de Janeiro: Imago, 2002.

Greenberg, B.D. et al. *Three-year Outcome in Deep Brain Stimulation for Highly Resistant Obsessive-Compulsive Disorder.* Neuropsychopharmacology. 31(11):2384-93, 2006.

Hagerman, R.J. *Neurodevelopmental Disorders Diagnosis and Treatment.* Nova York: Oxford University Press, 1999.

Hart, M.H. *As 100 maiores personalidades da história.* 8ª ed. Rio de Janeiro: Difel, 2003.

Hetem, L.A.; Graeff, F.G. *Ansiedade* e *transtornos de ansiedade.* Rio de Janeiro: Editora Científica Nacional, 1997.

Heymann, C.D. *Uma mulher chamada Jackie.* São Paulo: Best Seller, 1989.

Hollander, E. *Obsessive-compulsive Related Disorders.* Washington DC: American Psychiatric Press, 1993.

Houzel, S.H. O *cérebro nosso de cada dia.* Rio de Janeiro: Vieira & Lent, 2002.

______. *Sexo, drogas, rock 'n' roll* e *chocolate.* Rio de Janeiro: Vieira & Lent, 2002.

Jung, H.H. et al. *Bilateral Anterior Cingulotomy for Refractory Obsessive-Compulsive Disorder: Long-term Follow-up Results.* Stereotact Funct Neurosurg. 84(4): 184-9, 2006.

Khalsa, D.S. *Longevidade do cérebro.* Rio de Janeiro: Objetiva, 1997.

Kiessling, L.S. "Tic disorders with evidence of invasive group A beta-hemolytic streptococcal disease." *Development Medical Child Neurology,* 31 (59):48-59, 1989.

Kingma, D.R. *Por que as pessoas que amamos nos levam à loucura: os 9 tipos de personalidade nos relacionamentos.* São Paulo: Cultrix, 1999.

Kyrmse, R. *Explicando Tolkien.* São Paulo: Martins Fontes, 2003.

Lax, Eric. *Woody Allen: uma biografia.* São Paulo: Companhia das Letras, 1991.

_________. *Conversas com Woody Allen: seus filmes, o cinema e a filmagem.* São Paulo: Cosac Naify, 2008.

LECKMAN, J.F.; MAYES, L.C. "Maladies of love — an evolutionary perspective on some forms of obsessive-compulsive disorder." *Journal of Neurology Neuro surgery & Psychiatry,* 59:457-9. nov., 1995.

LESSA. *Coleção grandes homens: Luthero.* São Paulo: Cultura Brasileira, 1976.

L RIGGIN AFFILIATION: THE MOTHERISK PROGRAM, DEPARTMENT OF PAEDIATRICS, THE HOSPITAL FOR SICK CHILDREN, UNIVERSITY OF TORONTO, TORONTO ON.; Z. FRANKEL; M. MORETTI; A. PUPCO; G. KOREN. *The Fetal Safety of Fluoxetine: A Systematic Review and Meta-Analysis,* J Obstet Gynaecol Can. 2013 Aug; 35(4)362-9. Review. Erratum in: J Obstet Gynaecol Can. 2013 Aug; 35(8):691.

MALLET, L. et al. "Subthalamic nucleus stimulation in severe obsessive-compulsive disorder." *New England Journal Med.* 359 (20):2121-34. 13 nov. 2008.

MARTIN, A. et al. *Pediatric Psychopharmacology: Principles and Practice.* Nova York: Oxford University Press, 2003.

MILLER, G.F. *A mente seletiva: como a escolha sexual influenciou a evolução da natureza humana.* Rio de Janeiro: Campus, 2000.

NESSE, R.M.; WILLLAMS, G.C. *Why We Get Sick: The New Science of Darwinian Medicine.* Nova York: First Vintage, 1996.

OBERDAMN, A. *Lutero: un hombre entre Dios y el diablo.* Madri: Alianza, 1992.

RASMUSSEN, S.A.; TSUANG, M.T. "Clinical characteristics and family history in DSM-III obsessive-compulsive disorder." *American Journal of Psychiatry,* v. 143(3): 317-22, 1986.

______. "Epidemiologic and clinical findings of significance to the design of neuropharmacologic obsessive-compulsive disorder." *Psychopharmacology Bulletin,* v. 22(3): 723-9, 1986.

RASMUSSEN, S.A.; EISEN, J.L. "Epidemiology of obsessive-compulsive disorder." *Journal Clinic Psychiatry,* v. 45: 450-7, 1984.

RATEY, J.J. *O cérebro: um guia para o usuário.* Rio de Janeiro: Objetiva, 2002.

RIDLEY, M. *As origens da virtude: um estudo biológico da solidariedade.* Rio de Janeiro: Record, 2000.

ROSENBERG, D.; HANNA, G.L. "Genetic and imaging strategies in obsessive-compulsive disorder: potential implication development." *Biological Psychiatry,* v. 48(12): 1.210-22, 2000.

SCHIFFER, R.B.; FOGEL, S.M.R. *Neuropsychiatry.* 2ª ed. Filadélfia: Williams and Wilkins, 2003.

SILVA, ANA BEATRIZ BARBOSA. *Mentes consumistas: do consumismo à compulsão por compras.* São Paulo: Globo, 2014.

________. *Mentes inquietas: TDAH: desatenção, hiperatividade e impulsividade.* São Paulo: Globo, 2014.

SILVA, Ana Beatriz Barbosa. *Mentes insaciáveis: anorexia, bulimia e compulsão alimentar*. Rio de Janeiro: Ediouro, 2005.

_________. *Mentes perigosas: o psicopata mora ao lado*. São Paulo: Globo, 2014.

SINGER, P. *Ética prática*. São Paulo: Martins Fontes, 1998.

STEIN, D.J. et al. "Compulsive and impulsive symptomatology in trichotilomania." *Psychopathology*, v. 28: 208-13, 1995.

STEKEL, W. *Atos impulsivos*. São Paulo: Mestre Jou, 1968.

SWEDO, S. "Sydenham's Chorea: a model for childhood autoimmune neuropsychiatric disorders." *JAMA* (272): 1.788-91, 1994.

TAVARES, H.; GENTIL, V.; TAVARES, A.G. "Jogadores patológicos, uma revisão: psicopatologia, quadro clínico e tratamento." *Revista de Psiquiatria Clínica*, v. 26(4):179-87, 1999.

THIEL, A. et al. "Obsessive-compulsive disorder among patients with anorexia nervosa and bulimia nervosa." *American Psychiatry*, v. 152: 72-5, 1995.

TORRES, A.R. *Figura e fundo: um estudo de comorbidade do distúrbio obsessivo-compulsivo e distúrbios de personalidade*. Tese de Doutorado. São Paulo: Escola Paulista de Medicina, 1994.

TORRES, A.R.; SHAVITT, R.G.; MIGUEL, E.C. *Medos, dúvidas* e *manias: orientações para pessoas com transtorno obsessivo-compulsivo* e *seus familiares*. Porto Alegre: Artmed, 2001.

TRUMP, D.J.; SCHWARTZ, T. *A arte da negociação*. Rio de Janeiro: Campus, 1973.

VAUGHAN, S.C.; SALZMMAN, L. "Antianxiety function of impulsivity and compulsivity." In: Oldham, J.M.; Hollander, E.; Skodol, A.E. (orgs.). *Impulsivity and Compulsivity*. Washington DC: American Psychiatric Press, 1996, pp. 167-94.

WERNECK, H. *O profissional do século XXI*. Rio de Janeiro: Record, 2003.

WILSON, R.; FOA, E.B. *Stop Obsessing: How to Overcome your Obsessions and Compulsions*. Nova York: Bantam Books, 2001.

WRIGHT, R. *The Moral Animal: The New Science of Evolutionary Psychology*. Nova York: Vintage Books, 1995.

Contatos da
Dra. Ana Beatriz Barbosa Silva

Homepage: draanabeatriz.com.br
E-mail de contato: abcomport@gmail.com
Instagram: instagram.com/anabeatriz11/
Facebook: facebook.com/draanabeatriz
Tiktok: tiktok.com/@draanabeatriz11
YouTube: youtube.com/anabeatrizbsilva
Twitter: twitter.com/anabeatrizpsi

Este livro, composto na fonte fairfield,
foi impresso em papel offset 90 g/m² na Coan.
São Paulo, outubro de 2022.